Ik ben gezond want ik drink...

Wijn, elke dag

Waalreseweg 17, 5554 HA Valkenswaard
Tel.: 040 - 208 92 61 Fax: 040 - 203 03 58
Grafische vormgeving: Teo van Gerwen Design-Leende

NUGI: 790
ISBN: 90 75720 03 3

Ik ben gezond want ik drink...

Wijn, elke dag

Michel Montignac

UITGEVERIJ ARTULEN BV.
VALKENSWAARD

Inhoud

VAN MICHEL MONTIGNAC VERSCHENEN IN NEDERLAND DE VOLGENDE BOEKEN:

De methode wordt uiteengezet in:

Slank worden met zakendiners
ISBN: 90 800 786 7 0

Ik ben slank want ik eet
ISBN: 90 800 786 6 2

Ik ben slank want ik eet *(video)*
ISBN: 90 75720 02 5

Zij is slank want zij eet!
De Methode Montignac
speciaal voor de vrouw
ISBN: 90 800 786 9 7

Ik blijf jong, want ik eet beter
ISBN: 90 75720 04 1

Nog meer met Montignac:

Ik ben gezond want ik drink... Wijn, elke dag
ISBN: 90 75720 03 3

Montignac van A tot Z,
de Dictionaire van de Methode
ISBN: 90 800786 8 9

De volgende receptenboeken:

Recepten en menu's volgens de
Methode Montignac
ISBN: 90 800 786 5 4

Slank & Snel,
de fast cuisine van Michel Montignac
(Ria Tummers)
ISBN: 90 75720 01 7

Monter met Montignac ...
ook bij voedselovergevoeligheid
Lekkere recepten uit de natuurvoedingswinkel
(Anja Anker-Borst)
ISBN: 90 75720 04 X

Mijn recepten uit de Provence
ISBN: 90 75720 06 8

Montignac, stap voor stap
De eerste zes weken (Ria Tummers)
ISBN: 90 75720 07 6

Smakelijk met Montignac
Recepten uit de Vlaamse keuken
(Nathalie Seliffet)
ISBN: 90 75720 08 4

Algemene informatie over methode, boeken en Belgische of Nederlandse Montignacclub op Internet: http://www.montignac.com

Frankrijk:
Comment maigrir en faisant des repas d'affaires
Mettez un turbo dans votre assiette
Je mange donc je maigris
Recettes et Menus Montignac (I et II)
La méthode Montignac, spécial Femme
Montignac de A à Z, le dictionnaire
Restez jeune en mangeant mieux

Finland:
Syön hyvin ja siksi laihdun

U.K.:
Dine out and lose weight
Eat yourself slim
Recipes and menu's
The Montignac Method Special for Women

Italië:
Mangio dunque dimagrisco
Come dimagrire facendo pranza d'affari

Spanje:
Como adelgazar en comidas de negocios
Comer para adelgazar
Recetes Montignac

Duitsland:
Essen gehen und dabei abnehmen
Ich esse um ab zu nehmen
Montignac Rezepte und Menüs
Gesund mit Schokolade
Ich trinke Jeden Tag Wein um gesund zu bleiben

Voor de levensmiddelen van Michel Montignac: zie achterin dit boek.

Voor vragen over de methode kunt U zich wenden tot:
'Vereniging ter bevordering van de methode Montignac in België' Telefoon (0)14 61 39 55 Postbus 2 B-2350 Vosselaar
Of **Montignac Club Nederland** Waalreseweg 17 5554 HA Valkenswaard Telefoon 040 - 20 89 261 Fax 040 - 20 30 358

Voorwoord

Het is zondag, 17 november 1991, 7 uur 's avonds. De 40 miljoen trouwe kijkers van 'Sixty Minutes', het toonaangevende televisieprogramma van CBS, gaan er eens goed voor zitten.
Een uur later zijn de Amerikanen de schok nog niet te boven. Ze zijn werkelijk ondersteboven.
Want zojuist hebben ze kennis genomen van de resultaten van een groots opgezet, langdurend en wereldomspannend onderzoek van de WHO (de wereldgezondheidsorganisatie) naar de grote landelijke verschillen wat betreft de risicofactoren van hart- en vaatziekten. Één land steekt daarbij zeer gunstig af: Frankrijk.
Ziedaar de 'Franse paradox'! Dit is inderdaad onverwacht nieuws voor de Amerikanen. Want tot dan toe was daar altijd gedacht dat het risico van hart- en vaatziekten nauw verbonden was met een hoog cholesterolgehalte, op zijn beurt weer afhankelijk van een overmatige vetconsumptie. Wat dus verbazing wekte is dat het cholesterolgehalte van de gemiddelde Fransman ongeveer even groot is als van een Amerikaan maar de eerste evenveel of zelfs meer vet eet! En toch lopen de Fransen drie keer minder risico voor hart- en vaatziekten dan Amerikanen! Wat is hier aan de hand? Het antwoord van de wetenschappers sloeg

in als een bom. De Fransen drinken wijn! En wel elf keer meer dan Amerikanen!
Wijn biedt onmiskenbaar bescherming tegen hart- en vaatziekten, een van de belangrijkste doodsoorzaken in de westerse landen.
Wat een onthulling was voor het grote publiek, was nauwelijks nieuws voor veel wetenschappers, die dit fenomeen al jaren bestudeerden.
Al in 1786 had de Engelse arts Heberden opgemerkt dat wijn de pijn van angina pectoris verlichtte.
Maar nog niet zo lang geleden, in de jaren 70, zou praten over wijn als heilzaam middel voor de gezondheid afgedaan zijn als een smakeloze grap. Desondanks bestond er toen al een overvloed aan internationale medische wetenschappelijke literatuur en gedocumenteerd onderzoeksmateriaal waarin aangetoond werd dat wijn wel degelijk een beschermend effect heeft op het hart en bloedvaatstelsel. In het begin dacht men dat dit was vanwege de alcohol in wijn. Daarom werd gesteld dat alle andere alcoholhoudende dranken hetzelfde effect zouden hebben.
Talrijke onderzoeken hebben uitgewezen dat dat niet het geval is. Alleen wijn biedt een optimale bescherming tegen hart- en vaatziekten. Maar daarbij moet wel aan enkele voorwaarden voldaan worden. Wijn, liefst rode, moet regelmatig (bij iedere maaltijd) èn met mate (2 tot 4 glazen per dag) gebruikt worden.
Alleen in het weekend wijn drinken, zoals in veel westerse landen gebeurt, heeft geen enkel heilzaam effect. Integendeel, dit kan zelfs gevaarlijk zijn. 's Maandags plotseling stoppen met drinken kan leiden tot sterkere verdikking van het bloed en daarmee tot het ontstaan van klonters, wat het risico van een infarct vergroot.
De goede invloed op hart en bloedvaten is wel het meest in het nieuws gekomen, maar er zijn meer positieve effecten van wijn op onze gezondheid.
Sedert de Klassieke Oudheid werd de medicinale kant van wijn verder uitgewerkt en vond op brede schaal toepassing. Met de komst van de moderne farmaceutica raakte dit in de vergetelheid.

VOORWOORD

Dankzij modern wetenschappelijk onderzoek kennen we tegenwoordig de therapeutische betekenis van wijn, met name voor het spijsverteringsstelsel en het tegengaan van infecties.
Bovendien zou wijn het verouderingsproces sterk vertragen en doeltreffend zijn tegen stress.
Wij Fransen zouden dus erg blij moeten zijn met het feit dat we een toonbeeld zijn van goed consumptiegedrag. In ieder geval kunnen we ons gelukwensen met het feit dat we al 2000 jaar zo'n belangrijke bijdrage leveren aan de wijnbouw en wijnbereiding, het paradepaardje van onze economie en de trots van onze cultuur.
Maar in Frankrijk kijken we niet op een paradox meer of minder.
Want terwijl de cola- en frisdrankdrinkers ons komen uitleggen waarom wij een betere gezondheid hebben dan zij, doet Frankrijk zichzelf vrijwillig de das om door de eigen cultuur schaamteloos te versmaden en zijn wijntraditie bij het oud vuil te zetten.
In allerlei onhandige anti-alcoholcampagnes krijgt wijn constant de zwarte piet toegeschoven en worden zijn kwaliteiten telkens weer verloochend. Door in te stemmen met een wetgeving die doet denken aan de drooglegging destijds in Amerika, is Frankrijk bezig zijn heiligen te verbranden op de brandstapel van het conformisme, puritanisme en conservatisme.
Door de mensen die regelmatig een beetje wijn drinken en Frankrijk tot een toonbeeld van gezondheid maken op het gebied van hart- en vaatziekten een slecht geweten te bezorgen, ondermijnt de politiek van dit land de totale wijneconomie.
Onder het voorwendsel het alcoholisme te bestrijden hebben de verschillende campagnes van de afgelopen 40 jaar er alleen maar toe geleid dat de consumptie van wijn met de helft is afgenomen en het aantal alcoholisten gelijk is gebleven. Men wil maar niet inzien dat wijn praktisch niet verslavend werkt; in die streken waar wijn geproduceerd wordt (met name rond Bordeaux en in de Bourgogne), komt alcoholisme het minst voor, en waar geen wijnproductie is (Bretagne, Nord-Pas de Calais), is dit het hoogst.
Tenzij het Franse volk tot inkeer komt en de trieste werkelijkheid on-

der ogen durft te zien, en de politiek doeltreffende maatregelen neemt in de vorm van voorlichting en onderricht met name naar de jeugd toe, zal het erfgoed van onze wijncultuur binnenkort alleen nog te bezichtigen zijn in streekmusea, boeken en glossy bladen, of in het buitenland dat al op grote schaal wijn exporteert.
Willen we dat onze kinderen net zo aan hartkwalen gaan lijden als in Amerika?
We hopen dat dit boek een steentje zal bijdragen aan het herstel van onze wijntraditie, of ten minste een halt zal toeroepen aan de afschuwelijke afbraak daarvan.

Wijn ligt aan de basis van onze beschaving

'De geschiedenis van de wijn is onlosmakelijk verbonden met de geschiedenis van de mensheid. Wijn, de vrucht van de wijnstok en van de menselijke arbeid, is niet zomaar het eerste het beste consumptiegoed. Wijn is al duizenden jaren metgezel van de mens en heeft tegelijk iets hemels en aards.
Hij staat voor een waardevol beschavingsgoed en is een criterium voor de kwaliteit van leven. Hij is een waar cultuurgoed, een drijvende kracht in het maatschappelijk leven.'

Men zou denken dat hier een gepassioneerd wijnkenner aan het woord is die zijn lievelingsdrank met bevlogen bewoordingen de hemel in prijst.

Niets daarvan!

Deze tekst is niet uit de inhuldigingsrede van een grootmeester van het wijngilde, maar staat in een zeer officieel communiqué van de Franse delegatie tijdens een zitting van de Europese Commissie te Brussel in 1990.

Hierin wordt benadrukt dat wijn niet zomaar een drank is als alle andere. Hij wordt al lang beschouwd als een voedingsmiddel dat een geheel eigen plaats inneemt, omgeven door een rijke symboliek, net als brood, waarmee hij overigens vaak geassocieerd wordt.

Wijn is een universeel symbool, waaromheen zich een eigen taal ontwikkeld heeft met verwijzingen naar de mens, de wereld en het mysterie van het leven. Zijn geschiedenis is nauw verbonden met die van de mens; diens bestaan in het begin der tijden wordt vergeleken met de wijnstok, de boom des levens.

Onsterfelijkheidselixer in de Griekse mythologie; betoon van hulde, vreugde en vriendschap in de toenmalige riten; bloed van Christus in de communie van het Christendom. Wijn is al duizenden jaren een krachtig symbool. Zijn wortels staan in gewijde grond.

Desalniettemin krijgt deze drank der goden, van God en vervolgens van de mens het voor het eerst in zijn tijdloze geschiedenis zwaar te verduren van een stelletje fanatiekelingen die in de alcoholdampen van de wijn slechts het aangezicht van de duivel herkennen.

WIJN IN DE MYTHOLOGIE

Wijn vindt zijn oorsprong in Trans-Kaukasië* en ontwikkelt zich verder in Indië. Vandaaruit komt de wijn (afkomstig van het Sanskriet woord 'vena' dat 'geliefde' betekent) in de streken rond de Middellandse zee, waar hij deel gaat uitmaken van drie culten, namelijk die rond Osiris, Dionysos en Bacchus.
Volgens de Egyptische mythologie werd de wijn op aarde gebracht door Ra, de zonnegod en schepper van de wereld. Hij bereidde deze

* *Trans-Kaukasië: het gebied ten zuiden van de bergketens van de Grote Kaukasus, bestaande uit de drie republieken Georgië, Armenië en Azerbeidjan.*

drank om het menselijk geslacht te bewaren voor de woede van de godin Hathor.
Later komt er in deze mythologie een synthese tot stand tussen Ra, de zon van de dag, en Osiris, de zon van de nacht.De wijn wordt gewijd aan Osiris; op de dag van zijn geboorte zou het water van de Nijl in wijn veranderd zijn.
Osiris werd vermoord, zijn lichaam werd in 26 stukken gesneden, en in de rivier geworpen. De daarin aanwezige wijn had zo'n krachtig genezend effect dat Osiris weer opleefde, nadat Isis de stukken van zijn lichaam aan elkaar had genaaid.

In Griekenland vond de symboliek van de wijn zijn uitdrukking in de cultus rond Dionysos, zoon van Zeus. Lang voor Christus werd wijn al vergeleken met het bloed van de godheid die iedere 6 januari water in wijn veranderde in zijn tempel op het eiland Andros.

Dionysos werd eens per jaar, tijdens de lentefeesten, op bijzondere wijze geëerd.

- Op de eerste dag werd de wijn van alle landeigenaren in de tempel aan de goden gewijd. Iedereen had het recht de wijnkruiken te openen en van de nieuwe wijn te drinken.
- De tweede dag was gewijd aan wedstrijden. De winnaar was hij die zijn kroes het snelst leeg kon drinken. Vervolgens was er een soort carnaval waarin een enorme fallus rondgedragen werd.
  De Basilissa, de koningin van het feest, copuleerde met een man die Dionysos voorstelde. Deze koninklijke paring was een vruchtbaarheids- en lenterite.
- Op de derde dag vonden wijnoffers plaats om de overledenen te eren en goedgunstig te stemmen met het oog op de nieuwe aanplant, in het bijzonder van de druiven.

Deze feesten ter ere van Dionysos stonden in het teken van de wedergeboorte door de wijn, drank van onsterfelijkheid, van sexuele kracht en van de vruchtbaarheid van de natuur.

De Dionysoscultus heeft altijd twee verschillende kanten gehad: enerzijds een opstijgen naar de hemel om één te worden met de godheid, anderzijds een afdalen naar de aarde, de voedster-moeder.

Dionysos symboliseerde voor de Grieken de universele orde, maar bij de Romeinen was Bacchus iets geheel anders. De beruchte Bacchanalen riepen veeleer op tot dronkenschap, ontucht en sociale wanorde. Gedurende de dagen dat dit feest ter ere van de god van de wijn duurde, vielen alle taboes weg en was alles geoorloofd. De mensen mochten alles zeggen en bijna alles doen; de scheidslijnen tussen de klassen vervaagden, en een ware sociale versmelting was het gevolg. De traditie van dit feest uit de antieke oudheid heeft zich tot op heden gehandhaafd in het carnaval.

De instelling van dit jaarlijks terugkerende ritueel van taboe-overschrijding zorgde ervoor dat de Romeinen zich de rest van het jaar aan de gevestigde orde hielden.
"Feest is georganiseerde wanorde om de orde te handhaven", zegt Freud ergens.

Vandaag de dag lijkt het wel of we dit gevoel voor feesten kwijt zijn. De ontwikkeling van het individualisme, bijproduct van de verstedelijking, is hier zeer zeker debet aan.

Bovendien wordt in de moderne maatschappij vooral het verstand verheerlijkt, de betekenis van het symbool vervliegt met de arrogantie van de wetenschap. Het verstand heeft van de mens een wees gemaakt en hem abrupt losgesneden van moeder aarde, de natuur en het universum; zijn aspiraties zijn veeleer materieel dan spiritueel.

De komende generaties drinken geen wijn meer, maar prefereren prik en cola. Zij zijn de eerste slachtoffers van de ontmythologisering door onze industriële samenleving die gaandeweg onze kinderen lossnijdt van hun echte wortels.

Toch slaagt wijn, een grondbeginsel van onze beschaving, erin dit modernisme te overleven, ook al komt hij niet meer voor in het sociale gedachtengoed van onze jeugd. De stad of buurt waarin ze wonen, heeft maar weinig weg van de ideale stad zoals Plato die zag, waarin "de burgers graanproducten en wijn vervaardigen, kleding en schoeisel, en huizen bouwen. Zij en hun kinderen vergenoegen zich in het drinken van wijn, in de tooi van guirlandes, en in loftiederen aan de goden".

Er wordt ons een sprituele 21ste eeuw voorspeld. Het is niet zo zeker dat dit ook zo zal zijn. Daarvoor zullen onze moderne goden moeten veranderen.

WIJN IN DE JOODS-CHRISTELIJKE WERELD

De discussie over de aard van de verboden vrucht van de Hof van Eden duurt nog steeds voort. Sommigen beweren dat de beruchte appel eigenlijk een druif was, want alleen zijn gegiste sap kan de menselijke geest verruimen. Zei de slang niet tot Eva: "Gij zult geenszins sterven, maar God weet, dat ten dage, dat gij daarvan eet, uw ogen geopend zullen worden, en gij als God zult zijn, kennende goed en kwaad."

Maar 'officieel' was het Noach die na de reinigende zondvloed als eerste de wijnstok plantte, tezamen met twee andere heilige bijbelse planten, de vijg en de olijf.

Zo werd de wijnstok, Gods gave aan de mensen, het embleem van Israël. Dit verklaart waarom het uitverkoren volk wordt gesymboliseerd door een wijnstok die God uit Egypte weggerukt had. Tot Israël, die Hem bedroog, sprak God: "O mijn dierbare wijnstok, Ik heb je verzorgd, gesnoeid, de grond waarop gij stond bewerkt, met muren beschut heb Ik u, in uw midden heb Ik een kuip uitgehouwen. Wat zou Ik nog meer voor U kunnen doen, wat Ik al niet gedaan heb? En gij

geeft Mij slechts distels en onkruid. Zeg Mij, wat heb Ik u aangedaan?"

Later wordt Gods kastijding van het ontrouwe Israël voorgesteld door de symbolische verwoesting van de wijngaard. Ook de goddelijke genade wordt op eendere wijze uitgedrukt: "Weest vreugdevol. De wijnstok en de vijg zullen opnieuw van hun rijkdommen geven."

De symboliek van de wijn als levensbloed is al aanwezig in het Oude Testament. In Genesis (49:11) en Deuteronomium (32:14) wordt al gewezen op 'druivenbloed'.

Wat meer werelds wordt het gezegd in het boek der Spreuken (31:27): "Wijn geeft de mens levenskracht, mits met mate gedronken. Wat is het leven zonder wijn! De wijn is geschapen voor de vreugde der mensen, de lichtheid des hartes, het geluk der ziel."

In het Hooglied is de wijn het symbool van de eenwording van man en vrouw. "Mijn geliefde kust mij met kussen van zijn mond, en kostelijker dan wijn is zijn liefderijke omarming (...) Mijn geliefde, je borsten zijn als druivenranken."

In de bijbel vinden we reeds een tweeledige boodschap ten aanzien van wijn: een lofrede op de heilige drank, bron van harmonie en symbool van de relatie tussen mens en God, maar ook een zeer duidelijke vermaning tegen misbruik.

In de zeven hoofdzonden verwijst God met name naar de dronkenschap, wanneer hij de zonde van de vraatzucht aan de kaak stelt.

In het Nieuwe Testament is het zeker geen toeval dat Jezus zijn eerste wonder verricht door water in wijn te veranderen tijdens de bruiloft van Kana.

Jezus verwijst voortdurend naar de wijnstok. In zijn gelijkenis van de mens als deelnemende partij in de goddelijke genealogie zegt hij: "Ik ben de wijnstok en gij zijt de ranken, en Mijn Vader is de wijngaardenier."

Bij het Laatste Avondmaal, de gezamenlijke maaltijd (eucharistie) van Jezus en zijn discipelen, komt de diepere mystieke betekenis van de wijn volledig tot uiting. Jezus legt de fundamenten van het christendom, wanneer hij een beker wijn neemt en zegt: "Deze beker is het nieuwe verbond in Mijn bloed, iedere keer dat gij hiervan drinkt, doe dit dan Mij indachtig."

Tot de 15de eeuw werd dit heilige voorschrift "Wie van Mijn vlees eet en van Mijn bloed drinkt, verblijft in Mij en Ik in hem." naar de letter gevolgd. Tijdens de mis werd de communie in de vorm van brood en wijn gegeven aan de gelovigen en dit wordt tegenwoordig weer steeds meer gebruikelijk.

Jezus had voorzegd dat zijn dood een nieuw tijdperk aankondigde, een renaissance: "Doch Ik zeg u, Ik zal van nu aan voorzeker niet meer van deze vrucht van de wijnstok drinken, tot op die dag, dat Ik haar met u nieuw zal drinken in het Koninkrijk der Hemelen." (Matthëus, 26:29)

Hieruit kunnen we opmaken wat helaas te dikwijls vergeten wordt, dat in de christelijke traditie wijn niet alleen een bron van vreugde, vrede en leven is, maar bovenal een heilige band vertegenwoordigt tussen mens en godheid.

WIJN EN ISLAM

Sommigen geloven misschien dat het verbod om wijn te drinken inherent is aan de Islam. Niets is minder waar. Hoewel de koran wel zinspeelt op de gevaren van wijnmisbruik en dronkenschap, is het drinken van wijn nooit verboden.
In een soera van de koran wordt het volgende gezegd: "Eet en drink, maar wees niet overmatig (...) Gij moogt drinken, maar niet beneveld raken."

In een andere soera heet het echter: "Satan wil door wijn en spel haat en vijandschap opzetten tussen u (de mannen). Hij wil u verwijderen van God en afhouden van het gebed."
Blijkbaar zijn islamieten eerder uit vrees voor dronkenschap dan vanwege een koranisch verbod geheelonthouders.

Orthodoxe en fundamentalistische soennieten verbieden het drinken van wijn. De afgescheiden sjiieten daarentegen hebben van de tegenovergestelde visie een erezaak gemaakt en staan het drinken van wijn toe, mits dronkenschap vermeden wordt. Voor hen is wijn drinken een teken van verzet tegen het dogmatische fundamentalisme en een bekrachtiging van de 'contra-theologie'.

In de 11de eeuw was de wijnbouw een bijzonder bloeiende bedrijfstak in de islamitische landen. De vermaarde Perzische arts Avicenna zei: "Wijn is de vriend van de wijze en de vijand van de dronkaard. Hij is bitter en heilzaam, als wijze raad; hij is toegestaan aan mensen met geest en verboden voor dwazen. Hij drijft de dwaas naar het eeuwige duister en leidt de wijze tot God. De godsdienst staat hem de wijze toe en de rede verbiedt hem aan de arme van geest."

Deze gematigde stellingname heeft daarna radicaler vormen aangenomen onder invloed van intellectuelen die meenden dat wijn niet alleen inspiratie opwekt, maar ook kan leiden tot Openbaring. Zo werd

voor geletterden wijn een symbool van esoterische kennis. Mede daarom was hij voorbehouden aan een elite, vooral aan ingewijden.

Ook in de 12de eeuw was dit een reden om wijn te drinken. Van die tijd dateren enkele prachtige gedichten, zoals 'Het loflied van de wijn' van Omar Ibn Al Faridh en de 'Kwatrijnen' van Omar Khayyaam. Ook hij bezingt de wijn en verlaat zich op Allah om het juiste gebruik te leren kennen. Of in de woorden van de dichter zelf: "Wijn drinken en schoonheid omarmen is meer waard dan het gehuichel van de vrome; indien de verliefde en de drinker voor de hel zijn voorbestemd, zal niemand ooit de hemel zien."

De angst voor de dood en de onzekerheid van het hiernamaals brengen Omar Khayyaam zelfs tot epicuristische uitspraken:
"Aangezien niets hier op aarde de dag van morgen kan garanderen, moet je nu je liefdeszieke hart gelukkig maken; drink wijn in het licht van de maan, want deze ster zal ons morgen zoeken en niet meer vinden."

Het thema van de wedergeboorte door wijn vinden we ook bij deze schrijver, maar hij spreekt hier wel op een heel originele wijze over: "Kneed na mijn dood een beker of kruik uit mijn stof, vul die met wijn en misschien zal ik dan herrijzen."

Zoals de wijn de ingewijde tot gids is, zo zal hij volgens Khayyaam ook de oningewijde tot hogere kennis voeren: "Ik weet dat alleen wijn het raadsel kent en het bewustzijn van een volmaakte eenheid schenkt." Wijn geeft ons dus toegang tot verborgen waarheden.

Volgens de 12de-eeuwse Perzische dichter-filosoof maakt wijn de mens één met de beweging van het universum en laat hem deel hebben aan de kosmos.

Zoals bekend is wijn tegenwoordig verboden in het godsdienstige leven van de Islam. Daarbij wordt er ongetwijfeld van uitgegaan dat de mens niet wijs genoeg is om goed met wijn te kunnen omgaan. De Profeet heeft duidelijk gezegd dat dronkenschap en geloof niet samen kunnen leven in één hart. De een verjaagt de ander.

Het wijngebruik door de eeuwen heen

Zoals van elke mythe gaat de oorsprong van de wijn verloren in de nacht der tijden.
Door de bestudering van schaarse teksten, en met name door de archeologie weten we volgens welke procédés hij werd bereid, en wanneer en hoe hij gedronken werd in de verschillende beschavingen waar hij tot ontwikkeling kwam.

EGYPTE

Dit is het eerste land van het Middellandse-zeebekken waar de wijncultuur tot ontwikkeling gekomen is. In de bas-reliëfs vinden we er menig getuigenis van. Hij schijnt echter maar weinig gedronken te zijn; gezien zijn gewijde karakter werd wijn in de eerste plaats gebruikt bij religieuze ceremonies (begrafenissen). Alleen religieuze en politieke hoogwaardigheidsbekleders dronken hem; de onderdanen gaven de voorkeur aan bier.

GRIEKENLAND

Wijn werd door de oude Grieken elke dag gedronken, maar alleen bij hun avondeten. Hun ontbijt bestond uit gerstebrood, gesopt in onversneden wijn. De lunch was voor de Grieken om zo te zeggen een 'snelle hap': brood, olijven en wat fruit.

De avondmaaltijd werd vroeg in de middag gebruikt en was veel uitgebreider. Er waren drie gangen.

Eerst was er een aperitief waarbij een gearomatiseerde wijn werd gedronken uit een grote kom die langs de de tafelgenoten circuleerde. Daarna volgde de eigenlijke maaltijd die bestond uit vlees- en graangerechten waarbij alleen water geschonken werd. Ten slotte volgde het belangrijkste onderdeel van het diner. Het was een soort 'natafelen' waarbij praktisch niets gegeten werd, behalve misschien wat broodjes en gedroogde vruchten; maar wijn gedronken werd er wel. Alleen de mannen namen deel aan dit zogenaamde symposion. De enkele vrouwen die aanwezig waren, waren danseressen of courtisanes.

Dit wijn drinken aan het eind van het souper verliep volgens een bepaald ritueel.

De disgenoten begonnen met een plengoffer aan Dionysos aan wie de mensen de wijn te danken hadden. Ieder nam eerst een slok onversneden wijn en vervolgens werden enkele druppels op de grond geplengd met het uitspreken van de naam van de godheid.

Vervolgens werd door het lot de koning van het 'symposion' (de symposiarch) aangewezen die belast werd met de taak om de mengverhouding van water en wijn vast te stellen. De wijn van die tijd was immers zeer dik en stroperig en werd zelden onversneden gedronken. Dan kon het symposion (letterlijk: samen drinken) beginnen.

De aanwezigen discussieerden en filosofeerden over een door de ceremoniemeester bepaald onderwerp. Tussen de overdenkingen door luisterden ze naar muziek en keken ze naar de dansen; dichters lazen er hun verzen voor. Het geestrijke spel der gedachten werd ondersteund door het drinken van wijn.

Zo'n vriendenmaal kon uren duren, maar eindigde altijd voor het val-

len van de nacht. Het wekte gevoelens van solidariteit en broederschap. Ze dronken wijn en braken het brood in een sfeer van vrede en vriendschap, zoals dat vandaag de dag nog gebeurt bij samenkomsten van gildebroeders en vrijmetselaars.

Over zee vervoerden de Grieken de wijn in amforen. Voor transport over land was dit aardewerk te zwaar en werd dit vervangen door zakken van geitenleer die waterdicht waren gemaakt met pek.
Sommige wijnen konden zo wel verscheidene jaren bewaard worden.
In de Odyssee drinkt koning Nestor een 11 jaar oude wijn. De Grieken maakten verschillende wijnen, met name gearomatiseerde met honing, tijm, mint of kaneel. Ze vervaardigden zelfs versterkte wijnen die veel weg hadden van onze Ports en Madeira's .
Geleidelijk werden fijnere wijnen ontwikkeld. Odysseus spot met een alledaags wijntje dat hem werd voorgezet door de cycloop Polyphemus en dat hij de Griekse wereld onwaardig achtte.

ROME

Volgens de Romeinse overlevering werd wijn vòòr zijn toewijding aan Bacchus geïntroduceerd door Saturnus, de god van de zaaitijd en de wijnstok, voorgesteld door een sikkel en een snoeimes.
De Romeinen hebben actief bijgedragen aan de technische perfectionering van de wijnbereiding. Zo slaagden ze erin wijn 20 jaar en langer te laten rijpen. Ze bewaarden deze in kruiken van 26 liter waarop ze de opslagdatum en herkomst vermeldden.
Horatius heeft het ergens over een wijn van 60 jaar. En Plinius de Oudere beweert ooit een wijn te hebben gedronken die 200 jaar oud was.
Apicius, Horatius, Plinius en ook Martialis geven ons in hun werken een beschrijving van de vele cru's die het gehemelte der Ouden streelden. De beroemdste en duurste cru's kwamen uit Latium, Gauranum en Campania; de gewonere wijnen uit Spoleto, Umbrië en Pelignum.

Wijn uit Salina, Ravenna en van de hellingen van de Vaticanus vonden ze niet te drinken.

Evenals bij de Grieken was wijn voorbehouden aan de hogere standen. Slaven en soldaten hadden slechts recht op een soort droesem, een mengsel van slechte wijn, azijn en water. Dit verklaart waarom Jezus' dorst aan het kruis gelest werd met een spons die gedrenkt was in azijn. Dit gebaar van de honderdman was helemaal geen onheuse bejegening, hij gaf Christus te drinken van wat Romeinse soldaten dagelijks dronken.

De Romeinen dronken veel gearomatiseerde wijnen en ook in de keuken werd hiervan overvloedig gebruik gemaakt, zoals blijkt uit de talrijke recepten van de vermaarde kok Apicius.

In hun wijn- en eetgebruiken lieten de Romeinen zich sterk inspireren door de Griekse traditie. De wijn was nog altijd dik en werd nooit onversneden gedronken, maar met water aangelengd.
Hem onversneden drinken "is iets voor barbaren die Bacchus niet waardig zijn", zegt ons Vergilius.

In de beginperiode van de stichting van Rome mochten alleen mannen van 30 jaar en ouder wijn drinken. Voor vrouwen bleef dit lange tijd verboden. Cato zei zelfs: "Als je je vrouw betrapt op wijn drinken, dood haar dan!"
Het was toen de gewoonte dat de 'pater familias' elke dag alle vrouwen van zijn huis op de mond kuste om zich ervan te gewissen of geen van hen wijn gedronken had.

In de begintijd van Rome waren de Romeinen gewoon vier maaltijden per dag te gebruiken: het jentaculum, het prandium, de cena en de vesperna (souper). Ongeveer twee eeuwen voor Christus verdween het souper allengs. Er restte dus alleen nog het jentaculum (ontbijt met brood, kaas en water), het prandium (een tussendoortje om 12 uur dat

bestond uit brood, olijven en fruit) en de cena, die de enige grote maaltijd werd.

In de loop der eeuwen verwaarloosden de Romeinen onder invloed van 'gezondheidsexperts' allengs ook de ochtendmaaltijden en richtten ze zich bijna uitsluitend op deze cena.
Deze maaltijd werd om omstreeks 2 uur 's middags gebruikt en luidde het einde van de werkdag in, die in die tijd begon bij het krieken van de dag, om ongeveer 5 uur.
Evenals de Grieken dronken de Romeinen water bij hun overvloedige maaltijden. Deze werden geserveerd in het triclinium, een soort eetkamer.
Vervolgens veranderden de disgenoten van kamer of omgeving voor de 'comissatio' (equivalent van het platonisch vriendenmaal) waarbij onder mannen wijn gedronken werd.
De voorzitter van het feest stelde vast (of bepaalde met dobbelstenen) hoe de mengverhouding van water en wijn zou zijn (minimaal 1 op 3, maximaal 4 op 5), maar ook hoeveel bekers eenieder moest drinken.
De wijn zat in amforen en werd in bronzen of zilveren kraters met water gemengd.

Uit onderzoek is komen vast te staan hoeveel wijn de Romeinen dronken; ongeveer 2 liter onversneden wijn per dag. Dit is veel minder dan wat wij uit bepaalde teksten zouden kunnen opmaken, zoals uit de beschrijvingen van de bacchanale orgiën in de Satyricon van Petronius.

GALLIË

De eerste wijngaarden in Gallië werden aangelegd door de Phocaeërs (rond 600 v.C.) in de streek rond Marseille, Agde en Nice. Deze wijngaarden waren eerder bestemd voor de druiven dan voor de wijnproductie. De Galliërs gaven lange tijd de voorkeur aan 'cervoise' (gerstebier) en gefermenteerde melkdrank. Tot de 4de eeuw voor Christus

was wijn voorbehouden aan de krijgslieden. Aan het eind van de 2de eeuw v.C. werd wijn geleidelijk aan populairder, en werd hij niet meer alleen door de elite gedronken maar ook door de rijke middenstand (handelaren, ambachtslieden, grondbezitters) die hem importeerden uit Italië.
Met de Romeinse kolonisatie (ruim 100 v.C.) werden talrijke wijngaarden aangelegd in de buurt van Narbonne (Languedoc). Maar alleen Romeinse staatsburgers en kolonisten (veteranen van het leger) mochten aan wijnbouw doen.

De Galliërs kregen de smaak van wijn al gauw te pakken, zo erg zelfs dat volgens Diodorus Siculus, een tijdgenoot van Caesar, "ze in staat waren een slaaf te ruilen voor een amfoor wijn". Het was dus geen wonder dat tussen 110 en 60 v.C. elk jaar zo'n 15 duizend hectoliter wijn geïmporteerd werd in Gallië.

De Romeinen dronken pek- en harswijnen; gerookte en met anijs, kummel en tijm gearomatiseerde wijnen. Tot hun stomme verbazing dronken de Galliërs hun wijn bij de maaltijd onversneden uit runderhoorns; de Romeinen vonden dit schandalig barbaars.

De inscripties op deze bekers verschaffen ons enig inzicht in de symboliek rond het wijngebruik: "Leef gelukkig!", "Op je gezondheid!", "Gebruik mij wel!", of "Hoe rotter je je voelt, hoe meer je drinkt, hoe beter je je voelt, hoe meer je drinkt!".
De wijnhandel was een lucratieve aangelegenheid voor Rome. Deze werd echter hier en daar verstoord, onder meer door de Helvetiërs in het stroomgebied van Rhône en Saône, de Veneten in Armorica en de Germanen aan de Rijn. Deze inbreuk op de wijnhandel was zeker een van de redenen voor Caesar om Gallië in 58 v.C. binnen te vallen. Hij achtte dit de beste maatregel om de veiligheid van zijn wijnonderneming te waarborgen.

Met de Romeinse veroveringen rukt de wijnbouw in Gallië steeds verder op. Hij gedijt goed in de Provence, de Languedoc, de Rhônevallei en Aquitaine en vervolgens in Bourgogne en Trier (Moesel). Het zou nog wel even duren voor hij in Champagne, de Loirevallei en de Jura ingang zal vinden.

De Galliërs streefden hun Romeinse meesters snel voorbij in de kunst van de wijnbouw. Behalve verbeteringen in de techniek van de wijnbereiding verbeteren ze tevens de conservering van wijn aanzienlijk met de uitvinding van het vat (62 v.C.).Dit verontrustte de Romeinse senaat zozeer dat ze (zoals Cicero ons vertelt in 50 v.C.) een verbod uitvaardigde op de aanleg van nieuwe wijngaarden in Gallia Transalpina, om te voorkomen dat de export van Romeinse wijn naar Gallië in gevaar zou komen.

Dit was vergeefse moeite, want dit verbod werd nauwelijks nageleefd. Enkele tientallen jaren v.C. waren de Gallische wijnen zo superieur geworden dat ze Italië overspoelden.

In de Gallische maatschappij dronk de overgrote meerderheid van de bevolking wijn. Maar er was een groot verschil in kwaliteit per sociale klasse. Alleen rijke Galliërs konden zich krachtige en oude wijn veroorloven. Voordat deze gedronken werd, werden eerst verontreinigingen en bezinksel door filtratie verwijderd.

Hogere en lagere ambtenaren en soldaten dronken gewonere wijn, die ze kochten in taveernes en ter plaatse gebruikten of mee naar huis namen in aardewerken karaffen.

De rest van de bevolking, zoals handwerkslieden, landarbeiders, slaven en vrijgelatenen, kon alleen aan 'Lora' komen, een goedkoop aftreksel van licht getreden druivenmoer. Ze dronken ook verzuurde wijn uit slecht afgesloten kruiken, of namen genoegen met aangelengde wijnazijn.

De Gallische wijnen waren zo succesvol dat de situatie voor de handel in Romeinse wijn behoorlijk kritiek werd. Daarom gelastte keizer Domitianus in 92 n.C. om de helft van de Gallische wijngaarden te vernietigen. Deze maatregel leek des te meer noodzakelijk omdat vanwege de expansie van de wijnbouw in Gallië er een tekort aan graan dreigde.
Maar aan dit zeer impopulaire bevel werd nooit echt gehoor gegeven. Het werd dan ook uiteindelijk in 280 ingetrokken door keizer Probus. In 392 werd onder Theodosius I de Grote het christendom de staatsgodsdienst van het Romeinse Rijk. Dit versterkte de wijncultuur nog meer, want wijn was immers een niet weg te denken element in de christelijke eucharistie.
Door de val van het Romeinse Rijk in 476 stagneerde de Gallische wijncultuur tijdelijk.

FRANKRIJK IN DE MIDDELEEUWEN
(476-1453)

Tot 1414 werd het sacrament van de communie nog op de oude wijze gegeven, met brood en wijn. Daarom moest de wijnproductie goed op peil blijven.
Door de verschillende vijandelijke invallen werd de wijnbouw verstoord ook al hadden de meeste bezetters, zoals de Bourgondiërs en de Visigothen, de wijngaarden uit bijgeloof toch enigszins gespaard. Ze vreesden de magische krachten van de mannen van de Kerk die de wijngaarden onderhielden. Bij de invallen van de Noormannen in de 9de eeuw verliep het niet anders.

Priesters en monniken, waaronder belangrijke vertegenwoordigers van het christendom zoals St. Vincentius, St. Benedictus en St. Germanus, waren de grote drijvende kracht achter de wijnbouw.
In de door St. Benedictus aan zijn orde opgelegde leefregels zegt deze ergens dat een kwart liter wijn per dag genoeg is, maar dat als meer

nodig mocht blijken, de abt daarover moet beslissen, waarbij hij erop moet toezien dat overdaad en dronkenschap wordt vermeden, want wijn kan zelfs de wijze doen struikelen. Het is beter dat een man van de Kerk de spirituele extase bereikt door te vasten en te bidden, dan door de kwalijke gevolgen van overmatig wijngebruik. St. Benedictus voegt er nog aan toe: "Je kunt beter een beetje wijn drinken uit noodzaak, dan een heleboel water uit gulzigheid."

Wijn drinken was dus een vast onderdeel van de gewone kloostergebruiken. De monniken hadden recht op een halve pint (27 cl) wijn per dag, maar op religieuze feestdagen, mocht er zo veel gedronken worden als ze wilden. En er waren nogal wat feestdagen, zo'n 150 per jaar. Sommige ordes echter hielden er niet zulke toegeeflijke leefregels op na en waren veel strenger, zoals de cisterciënzers die eerder ascese dan de wijngaard cultiveerden.

In 816 gaf het concilie van Aken de wijncultuur een flinke duw in de goede richting door het aanmoedigen van wijnbouw door de Kerk. Iedere bisschopszetel moest een kapittel instellen, met op elk grondgebied wijngaarden en de taak deze tot bloei te brengen. De wijnbouw deed in die tijd een grote stap voorwaarts, omdat de geestelijkheid eenvijfde van de bevolking uitmaakte.

Na de Karthuizers, opgericht door St. Bruno in 1084, sticht de oudcisterciënzer St. Bernardus, zijn orde in Clairvaux in 1153. Al deze kloosterordes leveren hun bijdrage aan de ontwikkeling van de wijnbouw in Frankrijk.

In de 14de eeuw neemt wijn een zo belangrijke plaats in in de Kerk dat, naar Petrarca ons vertelt, de pausen van Avignon zelfs besluiten om wijn tot het vijfde element te benoemen, naast de vier klassieken: lucht, water, vuur en metaal. Eeuwenlang waren mannen van de Kerk de belangrijkste ambachtslieden, verbreiders en propagandisten van de wijncultuur ten behoeve van de eredienst.

De monniken zorgden ook voor de opvang van pelgrims in hun kloosters en verleenden medische bijstand; een groot deel van de wijn werd gebruikt voor behandelingen en de samenstelling van geneesmiddelen. Het bisschoppelijk paleis werd altijd goed bewaakt en diende vaak als tijdelijk verblijf voor koningen, keizers en vorsten op doorreis. De wijn van de kloosters diende zo ook als feestwijn, en eerbetoon aan hoge gasten.

Met Karel de Grote in de 9de eeuw ontstaat er naast de kerkelijke een vorstelijke wijnbouw. Later, in 1220, riep Philippe Auguste zelfs een wijnconcours in het leven waarbij hij de eerste keer absoluut zelf als voorzitter van de jury wilde optreden.

In zijn boek 'La bataille des vins' vertelt Henri d'Andeli dat vooral witte wijnen bij de machthebbers in de smaak vallen. De vermaardste zijn de wijnen uit Beaune. Over de wijn van Argenteuil was het oordeel: "De goedheid en kracht van deze wijn is de koning van Frankrijk het meest waardig." Maar aan het hof werden ook de zoete wijnen uit Cyprus en Malaga naar waarde geschat.
Boeren dronken nog altijd lekwijn, een aftreksel van druivenmoer of aangelengde wijnazijn.
Parijs telde in de 14de eeuw meer dan 4000 taveernes en er werd veel wijn gedronken, ongeveer 100 liter per man per jaar.
Zo'n grote vraag stuitte op toeleveringsproblemen en lokte veel fraude uit, zoals het versnijden van wijn, kunstmatige kleuring van lichte wijn met bramensap etc. Alleen handelaren uit de kringen van de adel en de rijken konden aan kwaliteitswijnen komen.
Gewoonlijk werd wijn aan het begin en einde van de maaltijd geserveerd onder het uitspreken van huldeblijken, de voorlopers van onze huidige manier van toosten. De wijn werd om beurten gedronken uit een gemeenschappelijke drinkschaal; éénpersoons kroezen en glazen verschenen pas aan het eind van de 14de eeuw, maar de ceremonie van het gemeenschappelijk drinken uit één schaal bleef tot in de 17de eeuw bestaan.

Bij de maaltijd zelf, met veel gezouten en gekruide spijzen, werd gewoonlijk water gedronken. Eerst na de avondmaaltijd, als men zich terugtrok in zijn slaapvertrek, dronk men wijn en at men allerlei gebak.

Net als in de voorgaande eeuwen werd gekruide wijn hogelijk gewaardeerd, zoals:

- clareia (witte wijn, honing, piment);
- nectar (witte wijn, honing, gember, kaneel);
- salviacum (lichtrode wijn, salie);
- hypocras (Beaune-wijn, suiker, kaneel, gember, kruidnagel, nootmuskaat).

Maar het kwaliteitsbewustzijn groeide . Zo beval Filips de Stoute, hertog van Bourgondië, in 1395 om de 'zeer slechte en kwalijke gamaydruif' met wortel en al uit te roeien, want zo zei hij, "hij zit boordevol afschuwelijke bitterheid". Zijn bevel werd niet zo nauwgezet nageleefd, want het werd in 1441 door Filips de Goede en in 1486 door Karel VII opnieuw uitgevaardigd.

FRANKRIJK VAN DE 15DE TOT DE 17DE EEUW

In deze periode gaat de wijn in kwalitatief opzicht sterk vooruit. De oenologie doet zijn intrede. Met behulp van deze nieuwe wetenschap wordt er grote vooruitgang geboekt, met name op het terrein van de wijnbereiding. Het steriliseren en zwavelen van de vaten wordt verder ontwikkelt; hierbij werd gebruik gemaakt van de z.g. Hollandse-lucifersmethode. Op die manier had men ook het afbreken van het gistingsproces beter in de hand, waardoor het vervoer van wijn niet ten koste ging van de kwaliteit.Dit werd nog verbeterd door de verbetering van het klaren van wijn met eiwit.
Deze vooruitgang kwam echter alleen de duurste wijnen ten goede, zodat uitsluitend de rijken ervan konden profiteren.Het overgrote deel

van de productie bleef van een zeer middelmatige kwaliteit, vooral omdat de vraag het aanbod verre overtrof. De productie bedroeg ongeveer 70 liter per hoofd per jaar, terwijl de consumptie in de steden meer was dan 110 liter. De stedelingen klaagden over deze schaarste die bovendien allerlei belastingen, heffingen en andere accijnzen tot gevolg had, waardoor zelfs de slechtste wijnen duur waren.

Wat voor soort wijn werd er in die tijd gemaakt?

Allereerst witte wijn, afkomstig van met de voeten getreden druiven in kuipen, waarvan het sap in vaten werd gegoten. De kleine producenten vermeden de perskuip van de landheer omdat dat te duur was en persten zelf.

Het gistingsproces van de most duurde 15 dagen in een vat met een open spongat. Hieruit ontstonden de gewone dikke wijnen die versneden werden met water, ijs of sneeuw. Deze gewoonte van het versnijden die ons tegenwoordig misschien vreemd voorkomt, was toen nog regel. Of zoals Furetière het in 1690 zegt: "Alleen dronkaards doen geen water bij de wijn!"

Viervijfde van de totale wijnconsumptie van de burgerij bestond uit de beroemde vin clairet (lichtrode wijn). Hij werd bereid uit een mengsel van witte en blauwe druiven. Most en licht getreden druivenpulp bleven 2 dagen in de kuip rusten. Het lichtrode sap werd in een vat opgevangen en vergist. Er kwam geen pers aan te pas.

'Vermeil'(=vermiljoen kleuren) wijnen (de term 'rood' verschijnt pas aan het eind van de 18de eeuw) werden verkregen door persen en een langere vergisting in de perkuip. Zo kreeg men wijn van goede kwaliteit die langer houdbaar was. Deze 'vermeil' wijnen moeten niet verward worden met de donkere wijnen (vin noir) die verkregen werd uit kleurstof leverende druiven, een langere gisting in de kuip en een groter aandeel perssap. De donkere wijnen werden gebruikt om te bleke

'clairet' wijn bij te kleuren. Ze werden vooral gedronken door handwerkslieden.

Verder was daar nog de lekwijn, die meer weghad van roodgekleurd water en verkregen werd uit wat er in de kuip achterbleef. Het was het drankje van het huishoudelijk personeel en de arme wijnboer.

Op het inventarislijstje van een herbergier uit de 18de eeuw vinden we de volgende verdeling:

- 38% vin 'vermeil';
- 36% vin 'clairet';
- 6% witte wijn;
- 2% droesemwijn.

Tweederde hiervan is landwijn, maar de herkomst staat gewoonlijk niet vermeld.

In die tijd ziet iedereen wijn in de eerste plaats nog steeds als een levensmiddel, maar allengs ontwikkelt zich een hedonistischer benadering en ontstaat onder invloed van de geleidelijke verfijning van de smaak het idee van wijn als genotmiddel.
Vanaf het eind van de 17de eeuw beginnen met de vooruitgang in de gastronomie de grand cru's steeds meer in de smaak te vallen. Donkere bordeauxwijnen worden vooral door de Engelsen gewaardeerd. Aan het hof en in de salons vindt vooral de champagne ingang, die een lichte roes brengt, maar niet dronken maakt. Bij het dessert vermaakt hij het gezelschap met zijn vrolijk knallende kurk en zijn in het rond dansende droppels die driest dwarrelen in het deinende decolleté van de dartele dametjes.
Bourgognes zijn dan al grote wijnen. Ze worden bijzonder aanbevolen door artsen, die ze met name voorschrijven aan hun koninklijke patiënten.

In die tijd streefde men nog niet zoals vandaag naar een harmonieus evenwicht tussen wijn en gerecht. Er werd nog altijd 'op z'n Frans' getafeld, dwz. dat alle gerechten aan het begin van de maaltijd op tafel werden gezet. De wijnen stonden op een apart tafeltje en werden door een schenker geserveerd.

Aan de vooravond van de Franse Revolutie telde Frankrijk nog maar 27 miljoen inwoners.
Van de wijnproductie (supérieur of ordinair) ging 92% naar de steden, waar de consumptie ongeveer 400 liter per hoofd per jaar bedroeg.
In Versailles werd kwalitatief èn kwantitatief goed gedronken, gemiddeld zo'n 600 liter, waarbij Lodewijk XIV zich in de hogere regionen bevond.

Hoewel het aanbod niet zo groot was als de stedelingen wel wilden, was wijn vreemd genoeg minder schaars dan water. Voor een stad als Parijs waren er maar 16 waterbronnen die maar weinig water gaven, hooguit één liter per hoofd per dag. Er waren wel waterleidingen, maar die liepen alleen naar het koninklijk paleis, de villa's van de aristocratie, de ziekenhuizen en de kloosters.

DE FRANSE REVOLUTIE

Er smeulde al een opstand omdat er een steeds groter wordend tekort aan brood was. Maar een van de belangrijkste oorzaken van de volkswoede was wel dat in Parijs de wijn steeds schaarser werd. Hij was ook steeds duurder geworden en het belastingkantoor dat in 1790 gereed was gekomen stond onder bewaking van 600 nationale gardisten.

Onder druk van het volk schafte de Assemblée op 19 februari 1791 de accijns af en werd rode wijn uitgeroepen tot volksdrank onder het motto van vrijheid, gelijkheid en broederschap. Hij onttroonde daarmee de witte wijn, die te veel associaties opriep met het koningshuis.

Maar ondanks de goede wil van de zittende macht heeft de Revolutie de aanvoer van rode wijn volkomen ontregeld. De schaarste liet zich het sterkst voelen in de steden; in 1791 zijn er in Parijs nog maar 1685 slijters (tegen 4000 in 1780).

Grote wijnen waren verboden omdat ze niet overeenstemden met de egalitaire principes van de Revolutie, maar zij doen na 1795 onder het Directoire, met zijn saletjonkers en modegekken, weer hun intrede. Even later zijn ze ook weer te vinden op de tafels van rijk Parijs en niet lang daarna ook weer bij de keizer.

FRANKRIJK IN DE 19DE EEUW

Met de publicatie van de 'Almanach gourmand' in 1803 wordt Grimod de la Reynière de eerste gastronomische criticus: "Wijn is volgens veel liefhebbers 's mens beste vriend mits hij er met mate gebruik van maakt, maar zijn grootste vijand als hij er te veel van drinkt. Hij is onze levensgezel, de trooster van ons triest gemoed, de kroon op onze welstand, de voornaamste bron van onze diepste gevoelens. Hij is de melk der grijsaards, de balsem der volwassenen en het voertuig der smulpapen. Zonder wijn is het beste maal als een bal zonder orkest."

Hij hemelt de oude en natuurlijke wijn op, maar weet ook maar al te goed dat daar moeilijk aan te komen is in een tijd waarin bedrog en onwetendheid een der heerlijkste geschenken van de voorzienigheid veranderen in een gevaarlijk gif.

De burgerij was een grootverbruiker van goede wijnen. De welingelichte drinker van de 19de eeuw was erg verfijnd, had waardering voor allerlei wijnen en verlangde alleen het beste.
Maar net als in de eeuwen daarvoor bleven dezelfde klasseverschillen bestaan; de boer dronk nog altijd zure wijn, die meer weghad van

azijn, en de arbeider droesemwijn. Ze moesten nog wachten tot 1868 om een beetje echte wijn te krijgen, bij het middagmaal dronken alleen de maaiers en wieders dit om op krachten te blijven.
De rangorde van de grand cru's van Bordeaux werd vastgelegd in 1855 tijdens de wereldtentoonstelling.

De burgerij maakte ook in de keuken veel gebruik van wijn:
- à la bourguignonne, met rode wijn;
- à la lyonnaise, met witte wijn en uien;
- à l'alsacienne, met Riesling;
- à la catalane, met Banyuls, tomaten, knoflook, spaanse peper en ansjovis;
- à la dieppoise, met witte wijn en room.

De kwaliteit verbeterde nog steeds. In de eerste plaats door geselecteerde druivensoorten, maar tevens ook door de verbeterde techniek van de wijnbereiding, dankzij het onderzoek van Pasteur aan de verschillende gistsoorten.
Dit onderzoek vond plaats op instigatie van Napoleon III, nadat in 1863 gebleken was dat de Franse exportwijn ondrinkbaar was.
52 Miljoen hectoliter wijn werd ongeschikt voor consumptie bevonden, wat de Franse economie op een aderlating van 500 miljoen aan deviezen kwam te staan.

Pasteur vond de oplossing voor dit probleem en publiceerde dit in 1866 onder de titel 'Onderzoekingen aan wijn, zijn ziektes en de oorzaken daarvan, en nieuwe technieken voor zijn conservering en veroudering'. Hierin schrijft Pasteur tevens dat 'wijn de gezondste en veiligste drank' is.

In de 19de eeuw werd de wijnbouw ook door enkele grote plagen geteisterd:
- van 1828 tot 1840: de pyrola (rups);
- van 1849 tot 1857: oïdium;

- in 1870: phylloxera;
- in 1878: meeldauw;
- in 1885: black-rot.

Na 1885 werden alle Franse wijngaarden opnieuw aangeplant met hybride soorten en met enten van oude Franse druivenrassen op een Amerikaanse onderstam, die resistenter was tegen ziektes.

Van 1879 tot 1892 was er een tekort aan wijn vanwege deze epidemieën, maar tussen 1893 en 1907 was er weer sprake van overproductie, hetgeen de staat in 1894 deed besluiten het versnijden van wijn te verbieden.
Door belastingverlaging maar vooral met de komst van de spoorwegen nam de verkoop van wijn over het hele land een hoge vlucht.

FRANKRIJK IN DE 20STE EEUW

Omdat aan het begin van deze eeuw de wijnproductie de binnenlandse vraag met 30% overtrof, kregen de brandewijnstokerijen in 1906 bij wet het recht om het overschot te destilleren.

Ondanks deze overproductie werd het aantal vervalsers niet minder. In 1907 worden er dan ook tegenmaatregelen genomen. De staat verplicht iedere wijnbouwer tot een opgave van de oogst; bovendien staan op het toevoegen van suiker en het versnijden voortaan strenge straffen.

Om dezelfde reden wordt er ook een keuringsdienst van wijn in het leven geroepen bij het ministerie van landbouw.

Gelukkig zorgde de slechte oogst van 1910 ervoor dat de overschotten konden worden weggewerkt, zodat de woede van de wijnboeren zakte.

Gedurende de Eerste Wereldoorlog speelde wijn een hoofdrol.

De Franse soldaten in de loopgraven eisten wijn en hun eis werd ingewilligd met aanvankelijk een kwart liter wijn per dag. De wijnbouwers van de Midi gaven gratis 200 duizend hectoliter, wat natuurlijk een schitterende reclamestunt was. Vervolgens besloot het leger om 18 miljoen hectoliter in te kopen en het rantsoen van de soldaat tot een halve liter per dag op te schroeven. Bovendien kregen ze brandewijn voor iedere veldslag.

Na de overwinning bij Verdun in 1916 vraagt de schrijver-journalist Jean Richepin de Fransen om de doden te herdenken op de slagvelden met een glas wijn in de hand, waarvan de verkoopopbrengst ten goede zou komen aan oorlogsweduwen en -wezen.

In 1918 brengt maarschalk Pétain in een zinderend betoog hulde aan de wijn 'die op zijn manier een grote bijdrage geleverd heeft aan de overwinning'.
Intussen was absint (ten dele verantwoordelijk voor het alcoholisme) verboden, wat de consumptie van wijn verder bevorderde. Na de oorlog is er opnieuw sprake van overproductie. In 1930 bedraagt de Franse productie 78 miljoen hectoliter, plus nog eens 20 miljoen hectoliter uit Algerije, terwijl de Franse consumptie slechts 50 miljoen hectoliter bedraagt.Om deze zorgwekkende overproductie tegen te gaan worden in 1931 nieuwe maatregelen genomen:
- belasting op opbrengsten van meer dan 100 hectoliter per hectare;
- verbod op nieuwe wijnaanplant;
- verplichte destillatie.

Tevens wordt een nationale commissie ingesteld die het wijngebruik moet gaan propageren. Dit hielp, want het steeg van 160 liter tot 172 liter per hoofd per jaar in 1935.

Ook de gastronomie droeg zijn steentje bij door de ontwikkeling van een heuse op wijn geënte culinaire literatuur. Van sociaal verschijnsel werd de wijn opgetild tot een cultureel niveau.

In 1935 werden de AOC's (Appellations d'Origine Contrôlées) ingesteld.
Vanaf het begin van de Tweede Wereldoorlog kreeg Jan soldaat nog steeds wijn, maar het satirische weekblad 'Le Canard enchaîné' bracht een schandaal aan het licht, want de wijn bleek gebromeerd. Verlofgangers kregen het spaans benauwd bij het idee straks hun huwelijksplichten niet meer te kunnen vervullen.

Geleidelijk werd wijn een schaars goed, eerst voor de soldaten, later ook voor de burgers. Ook voor wijn was 1940 het jaar van de nederlaag, want het rantsoen per hoofd per week bedroeg toen nog maar 2 liter (60% van de Franse productie verdween naar Duitsland).
Bij de bevrijding in 1945 werd er een nieuwe classificatie ingesteld: de 'vins délimités de qualité supérieure' (VDQS).In 1950 verscheen er een nieuwe vijand aan de horizon, Coca-Cola, die al gretig aftrek vond bij de intellectuele elite van St.-Germain-des-Prés. De afgevaardigde Augustin Gros waarschuwt voor het gevaar van deze nieuwe, uit Amerika geïmporteerde drank. Volgens hem is cola giftig, en zit ze vol fosforzuur, cafeïne en andere substanties, die niet goed te definiëren zijn omdat de samenstelling geheim is.

Na een periode van terughoudenheid namen de Franse communisten, beducht voor het gevaar van het Yankee-imperialisme, het voortouw in een hernieuwde anti-cola-campagne. De afgevaardigde Llante beschuldigde de regering ervan 'de maag van de Fransen te laten vergiftigen'. Op iets minder agressieve manier spoort de officiële 'commission des boissons' (commissie van dranken) de regering aan "om meteen de nodige maatregelen te nemen ter bescherming en instandhouding van onze landbouwbelangen en van de nationale economie in het algemeen".

De gemeenteraad van Beaucaire (in de Gard) besloot op 7 januari 1951 zelfs met algemene stemmen dat cola uit de verkoop genomen moest worden vanwege de omvang van de wijnoogst en de daaruit voortvloeiende afzetproblemen.

Dit protectionisme zou het niet winnen. Cola maakt jammergenoeg uiteindelijk een briljante carrière.

In 1952 werd met het Verdrag van Rome de Europese Gemeenschap geboren. Er moest nog 18 jaar gewacht worden totdat op 1 juni 1970 de gemeenschappelijke wijnmarkt van kracht werd. De interventie van Brussel bestond vooreerst uit opslag in depot, en vervolgens uit destillatie van het overschot om de wijnvoorraad op peil te houden. In 1984 werd een landbouwbeleid uitgestippeld dat gebaseerd was op een op de toekomst gericht beheer van tafelwijn vanaf de aanvang van de wijncampagne; in geval van overproductie zou er overgegaan worden op onmiddellijke en verplichte destillatie.

Maar met de wet Evin (als dit geen misplaatste ironie is!)* diende de regering Mitterand de Franse wijncultuur indirect de genadeslag toe door de voorwaarden voor wijnreclame drastisch aan te scherpen.

De vrije circulatie van goederen (daarbij inbegrepen wijn) binnen de Europese Gemeenschap, zoals vastgelegd in het verdrag van Maastricht in 1992, is niet voldoende om het voortbestaan van de Franse wijnbouw veilig te stellen.

Wijn lijkt te zijn begonnen aan een niet te stuiten afdaling. De Franse consumptiecijfers blijven vanaf halverwege deze eeuw almaar zakken: Fransen dronken in 1994 62 liter, dat is precies 50% minder dan 40 jaar daarvoor. De gelegenheden met een verlof IV (het verlof om aan iedereen wijn te verkopen) zijn ook al aan het verdwijnen.
In 1910 waren dat er nog 510.000 op een inwoneraantal van 38 miljoen, in 1992 zijn het er nog slechts 160.000 op een inwoneraantal van 58 miljoen.

* *'Evin' wordt uitgesproken als 'et vin': 'en wijn'.*

Gezien deze dramatische neergang van de wijnconsumptie ziet de toekomst van de Franse wijnbouw er somber uit. Niets schijnt er verder op te wijzen dat de Franse consument genegen is zijn koppige boycot van een van de paradepaardjes van ons nationale erfgoed, op te geven.

Deze situatie wordt verder verslechterd, nu de Franse wijn ook nog moet concurreren met andere Europese wijnen (Italië, Spanje) en om zijn plaats op de wereldmarkt moet knokken met de steeds populairder wordende wijnen uit Californië, Australië, Nieuw-Zeeland en Zuid-Afrika.

De komende jaren zullen van beslissend belang blijken te zijn voor de toekomst van de Franse wijnbouw.

Van druif tot wijn

WIJN EN TERROIR

Het belangrijkste van wijn is 'terroir', dat is de specifieke geologische en climatologische gesteldheid van een welomschreven bodem, en wel in die zin dat hij zijn bijzondere karakter overdraagt op de planten die erop worden gecultiveerd.

Het karakter van een wijn is de resultante van drie factoren:
- terroir (het karakter van grondsoort en klimaat);
- de 'cépage' of druivensoort;
- de mens (de vakkundigheid van de wijnbouwer).

De bodem

De toplaag van de bodem is in feite van weinig belang voor de wijnstok. De kwaliteit van de onderlaag is bepalend, want de wortels van de wijnstok kunnen zeer diep in de bodem doordringen en zelfs de moederrots bereiken waaruit ze de kwintessens putten, met name mineralen en sporenelementen. De bodem kan samengesteld zijn uit

verschillende soorten kiezelaarde, klei en leem, kalkzandsteen, gres, lei, graniet en zand.
Elke rotsbodem kan naargelang zijn geologische rijkdom de wijn een specifiek karakter verlenen.
De aanwezigheid van *klei* in de bodem draagt bij tot de kleur en de tanninesamenstelling van de wijn. *Zandgronden* leveren eerder de 'lichtere' wijnen die jong gedronken moeten worden, in tegenstelling tot *lei* en *gres* die een wijn een langer leven beloven.
Een wijngaard kan veel verschilende bodems hebben die overeenkomen met verschillende geologische tijdperken. In de Elzas bijvoorbeeld treffen we kalkzandsteen, mergel, gres, zand, graniet en lei aan. En in een geografische zone als de 'Côtes de Nuits' in Bourgogne vinden we meer dan 60 verschillende bodemtypes.

Het klimaat

Een druif gedijt niet overal even goed. Hij verdraagt niet zomaar elk klimaat. Hij groeit het beste in de gematigde zones tussen de 30ste en 50ste breedtegraad op het noordelijk en de 30ste en 40ste breedtegraad op het zuidelijk halfrond. Hij blijkt niet goed bestand tegen uitersten van koude en warmte.

Het klimaat wordt onderscheiden in drie subklimaten:
- het macro-klimaat, dat karakteristiek is voor een *wijnregio* (Bordelais, Bourgogne, Moselle etc.);
- het meso-klimaat, het *plaatselijk* klimaat, dat van de 'coteau';
- het micro-klimaat van het *perceel* (bijvoorbeeld van de hellingen van een coteau).

In Frankrijk onderscheiden we wat betreft het macro-klimaat 4 grote rijpingszones:
- de koele zones, gemiddeld 17°C: Elzas, Loirevallei, Bourgogne;
- de gematigd warme zones van het Zuid-Westen en de Bordelais, waarvan de gemiddelde temperatuur schommelt tussen 17,5°C en 18,5°C;

- de gematigd warme zones van de Côtes-du-Rhône en de Provence enerzijds (18,5°C tot 20°C) en van de Languedoc, Roussillon en Corsica anderzijds (20°C tot 22°C).

Het meso-klimaat wordt bepaald door het *licht* (blootstelling aan de zon), de *temperatuur* en de *neerslagfrequentie*.
Te weinig zon resulteert in een te lage omgevingstemperatuur en vertraagt de suikerstroom van de bladeren naar de druiven. In het tegenovergestelde geval, als het te warm is, zullen de druiven te weinig zuur bevatten.

Ook *wind* is een niet te verwaarlozen factor. Luchtstromen die de dauw opdrogen gaan grijze rot tegen. Maar ze versnellen ook de verdamping van het water in de druif, waardoor het suikergehalte toeneemt.
Neerslag is natuurlijk van kapitaal belang. Ideaal is een gelijkmatig verdeelde regenval van 400 tot 600 ml per jaar, behalve tijdens de laatste rijpingsperiode van half juli tot aan de oogst, wanneer het het minst zou moeten regenen.

Een hoge *luchtvochtigheid* (nevel en mist) is niet altijd wenselijk tijdens de rijpingsperiode. Hierdoor kan grijze rot ontstaan waardoor druiven met veel azijnzuur openbarsten en een bedorven smaak krijgen. Toch wordt grijze rot ook bewust toegepast, bij de productie van vins liquoreux (Sauternes); hierbij wordt edelrot (zoals grijze rot dan heet) juist gecultiveerd door de druivenpluk zolang mogelijk uit te stellen.

Terroir onderscheidt zich verder nog door andere geografische kenmerken (hoogte, vlakheid, heuveltop, helling etc.) die een specifieke *afwatering* geven.

DE WIJNSTOK

De wijnstok is een houtachtige klimplant uit de familie der Vitaceae; zijn levensduur als druivenproducent is ongeveer 25 jaar. Vaak wordt gesproken van oude wijngebieden als de wijnstokken 10 jaar en ouder zijn, maar er bestaan zeer oude wijngaarden (60 tot 80 jaar) die nog steeds, en vaak uitzonderlijk goede, wijnen voortbrengen, al is de opbrengst zeer gering.

De verschillende delen van de wijnstok

• De 'cep'

De cep is de stam van het 'wijnboompje'. Hij wordt 1 meter hoog en is erg gedraaid, wat heel decoratief is. Het hout is hard en heel lang houdbaar.

• De 'sarment'

Dit is de stengeltak van de wijnstok. De lengte ervan varieert naargelang de wijze van snoeien. Soms wordt hij gebruikt in de geneeskunde als tonicum voor de bloedvaten.

• De 'rafle'

Dit is het 'skelet' van de druiventros dat aan de stengels ontspruit. Aan het uiteinde van ieder steeltje van de rafle groeit een bes, de druif.

• Het druivenblad

Het blad, dat aan de sarment groeit, produceert door middel van fotosynthese suikers die vervolgens opgeslagen worden in de druiven.

• De druif

Het velletje van de druif bevat aromaten (terpenen) en polyfenolen (antioxydanten): tanninen, flavonoïden (witte druif) en anthocyanen (blauwe druif). Bij de gisting lossen ze op en komen zo in de wijn terecht. Het dunne buitenste laagje (cuticule), dat de druif beschermt te-

gen invloeden van buiten, is bedekt met een wasachtige substantie (rijp); daarop hechten zich de inheemse gistcellen (micro-organismen van het omringende milieu) die een belangrijke rol spelen bij het uiteindelijke gistingsproces van het druivensap.

Het vruchtvlees van de druif bevat het druivensap waarvan de samenstelling in de loop van het rijpingsproces verandert; de zuurgraad neemt af en het suikergehalte toe.

Het druivensap (most) is kleurloos, of het nu gaat om een witte of blauwe druif. In de medische praktijk wordt most hoofdzakelijk toegepast vanwege zijn diuretische en mogelijk ontgiftende eigenschappen (druivenkuur).

De druivenpitten mogen tijdens het persen niet gekraakt worden, want dat zou de smaak en stabiliteit van het gegiste druivensap verstoren. Ze kunnen teruggewonnen worden voor de bereiding van olie die veel meervoudig onverzadigde vetzuren (70%) bevat. De pitten leveren maar heel weinig olie, waardoor deze tamelijk duur is.

De 'cépages'

Cépage betekent druivenvariëteit of -soort.
Sedert de epidemieën (met name phylloxera) die de Franse wijngaard aan het eind van de 19de eeuw zowat totaal vernietigd hadden, worden er geen wilde, ongeënte druivensoorten meer gebruikt.

Om de wijnstok resistenter te maken tegen ziekten (oïdium, meeldauw, black-rot en natuurlijk phylloxera) wordt gebruik gemaakt van enten: op een ondergrondse onderstam van een Amerikaanse wijnstok wordt bovengronds een Franse wijnstok geënt.

De keuze van de ent is van het grootste belang. Er kan gekozen worden uit twee soorten enten: de *gekloonde* en de *uit zaad* verkregen stekken.

Bij klonen worden uit een moederplant identieke stekken gekweekt. Door deze techniek is de opbrengst hoog, maar de kwaliteit van de verkregen wijnen is maar middelmatig.De tweede methode leidt tot betere resultaten wat de kwaliteit betreft, te meer daar de te enten stek vanaf het begin geselecteerd kan worden voor het terrein waar hij gebruikt gaat worden.

De INRA (Institut National de la Recherche Agronomique) te Montpellier beschikt dankzij een in 1876 begonnen en nog steeds voortdurende research over een complete collectie genetisch materiaal voor de wijnbouw.
Deze collectie bestaat uit 8000 verschillende druivenvariëteiten, afkomstig uit 35 landen, waarvan 5000 klonen, 900 hybriden en 500 onderstammen.

Een dergelijke voorraad genetisch materiaal is onmisbaar voor de verbetering van de druivenvariëteiten.
De keuze van variëteit is belangrijk, maar essentieel is de overeenstemming met de bodem en het klimaat; dit bepaalt zowel de kwaliteit als het karakter van de wijn. Dit is bijvoorbeeld het geval met de pinot noir in de Bourgogne, met de cabernet sauvignon in de Graves en de Médocwijnen in de streek rond Bordeaux, met de syrah in de Rhônevallei en met de chardonnay op de kalk- en leemhoudende bodems van de Côte d'Or.
Research en keuze van druivensoort richt zich niet alleen op rendementsverhoging of terroir, maar houdt ook rekening met de uiteindelijke bestemming van de druif. Het verschilt immers nogal of de druif als vrucht gegeten gaat worden (raisin de table), of bestemd is voor de wijnproductie, voor droging (rozijnen) of voor destillatie.

De belangrijkste witte-druivensoorten

Chardonnay
Chenin
Pinot gris d'Alsace
Sauvignon
Semillon
Gewürztraminer
Riesling
Aligoté
Chasselas
Sylvaner
Ugni blanc
Colombard
Gros et Petit Mahseng
Marsanne
Muscadet of Melon
Pinot blanc
Gros plant
Romorantin
Rousanne
Savaguin
Viognier

De belangrijkste blauwe-druivensoorten

Cabernet Franc
Cabernet Sauvignon
Gamay
Grenache
Merlot
Mourvèdre
Carignan
César
Cinsault
Malbec of Côt
Negrette
Pinot-Meunier
Pinot noir
Syrah
Tannat

DE MENS

Wijn is de vrucht van de inspanningen van wijnbouwer en oenoloog. De eerste doet aan wijnbouw, de tweede aan wijnbereiding. Deze twee wegbereiders van de wijn zijn vaak in één en dezelfde persoon verenigd.

Het werk van de wijnbouwer (viticultuur)

De wijnbouwer heeft het hele jaar door een drukbezette agenda. Iedere periode heeft haar eigen werkzaamheden.

Van **oktober tot maart** rust de wijngaard. De wijnbouwer moet in die tijd snoeien om het aantal knoppen te beperken.
In april beginnen de planten uit te schieten. Dan moet er alles aan gedaan worden om vorstschade tegen te gaan.
Van **maart tot juni** is de groei al heel sterk en moeten de takken van het oude hout gesnoeid worden.
In **juli**, tijdens de bloei, moet er weer gesnoeid worden.
In **augustus** moeten de planten een behandeling tegen ziekten ondergaan. Dat gebeurt om de 8 tot 15 dagen.
In **september**, als de druiven volkomen rijp zijn, wordt er geoogst. Dan loopt de cyclus ten einde.

In Frankrijk is besproeiing met water van de wijngaard op geen enkel moment toegestaan; in de wijngaarden van Californië is dit daarentegen een normale gang van zaken.

Voor het verkrijgen van goede wijn is het van belang dat de wijngaard een hoge plantdichtheid heeft, er weinig mest wordt gebruikt en de plant tamelijk kort gehouden wordt.

Het snoeien van de plant heeft grote invloed op de kwaliteit van de wijn. Hoe korter de plant, hoe minder verdund en meer geconcentreerd de wijn zal zijn. Maar zelfs na een korte snoei kunnen er nog te veel trossen zijn. Met het oog op de kwaliteit zal de wijnbouwer in juli een deel daarvan wegsnijden ('eclaircissage'), waarbij de potentiële opbrengst van de wijngaard dus kleiner wordt.
Deze opbrengst is ook afhankelijk van de dichtheid van de wijngaard. Een opbrengst van 70 hectoliter per hectare heeft een totaal andere betekenis bij een dichtheid van 2500 planten per hectare dan bij een dichtheid van 10.000 planten. In het eerste geval is er vrij lang, in het tweede heel kort gesnoeid.
Overmatig gebruik van bestrijdingsmiddelen kan de vorming van humus belemmeren die onder andere als taak heeft de klei te fixeren. Te weinig humus zal zo indirect leiden tot versnelde bodemerosie, met

name bij hevige stortbuien die dan hele planten kunnen ontwortelen. Om de afwezigheid van humus te compenseren en de wijnstok beter te 'voeden' kan de wijnbouwer zijn toevlucht nemen tot mest die de bodem vruchtbaar maakt. Een teveel daarvan voert natuurlijk de wijnproductie op, maar dit gaat wel ten koste van de kwaliteit.

In tegenstelling tot wat vaak gedacht wordt, voedt kunstmest niet de bodem, maar direct de planten.

Te veel kalium in de kunstmest vernietigt de plaatselijke microflora en de eigen gistcellen. Bovendien ontzuurt het de bodem, wat de wijnbouwer ertoe noopt om de wijn aan te zuren met wijnsteenzuur.
Bepaalde schimmels (Brotritis cinerea) die verantwoordelijk zijn voor de zo gevreesde grijze rot, zijn op den duur resistent geworden tegen bestrijdingsmiddelen. De beste behandelingsmethoden, in 1992 in de Champagne toegepast, bleken maar voor 20% effectief.
Zodoende is de chemische industrie geleidelijk een belangrijke toeleverancier geworden van de wijnbouw voor kalium, wijnsteenzuur, chemische gisten en allerlei bestrijdingsmiddelen.

Sommige wijnbouwers zijn zich ervan bewust geworden dat ze hierin veel te ver zijn gegaan Zij hebben het wijze en verstandige besluit genomen terug te keren tot de traditionele wijnbouwmethodes, en leggen zich toe op de biologische teeltwijze.

Vandaag de dag verbruikt de wijnbouw 40% van het in Frankrijk gebruikte totaalgewicht aan bestrijdingsmiddelen voor slechts 10% van alle landbouwgrond.

Met het oog op de wanverhouding tussen kosten en baten van deze bestrijdingsmethoden zijn de wijnbouwers zich tegenwoordig bewust dat ze anders moeten gaan werken. In ieder geval is het tijdperk van steeds meer productieverhoging, waarin 'de wijnstok wijn pist', goddank voorgoed voorbij.

In de eerste plaats heeft een strakke reglementering orde gebracht in het merendeel van de AOC's door de productie per hectare aan banden te leggen. De situatie op de Franse markt is sindsdien nogal veranderd, in het bijzonder de consumptie van gewone wijn is de laatste jaren flink gedaald. Alleen kwaliteitswijnen maken een kans op een goede toekomst, zowel op de Franse als op de buitenlandse markt.

De biologische wijnbouw

Het begrip biologische landbouw dateert in Frankrijk uit 1932, en het werd omstreeks 1968 nieuw leven ingeblazen. Het werd officieel erkend door de raamwet van 4 juli 1980 (gewijzigd op 30 december 1988) en vond op Europees niveau erkenning op 24 juni 1991.

Het duurt ongeveer 3 tot 7 jaar voordat een grond geaccepteerd wordt als biologische landbouwgrond; die tijd heeft de grond namelijk nodig om de resten van chemische behandelingen in de jaren daarvoor volledig weg te werken.

In 1993 had Frankrijk 66.935 hectare landbouwgrond waarop biologisch geteeld werd; daarvan ging 3828 hectare naar de wijnbouw (de gronden in de 'reinigingsfase' niet meegerekend), verdeeld over 15 van de 22 bestuurlijke regio's.

De biologische wijnbouw herstelt het ecologisch evenwicht. Er worden windhagen aangeplant rond de wijngaard die onderdak bieden aan nuttige vogels en insecten. Bovendien zaait de wijnbouwer tussen de wijnstokrijen een 'groene' mest (rogge of wikke) waarin insecten en micro-organismen beschutting vinden die goed passen binnen het ecosysteem van de wijngaard.

In de biologische wijnbouw heeft ieder seizoen zijn eigen specifieke werkzaamheden.
In de winter wordt de wijngaard gesnoeid, waarbij het snoeisel met

De biologische wijnregio's

	Regio	Oppervlakte biologisch landbouw (ha)
1	Languedoc-Roussillon	1247
2	Aquitaine	981
3	Provence	681
4	Rhône-Alpes	247
5	Bourgogne	166
6	Centre	115
7	Poitou-Charente	105
8	Pays de Loire	72
9	Midi-Pyrénées	71
10	Corsica	55
11	Elzas	37
12	Champagne	27
13	Franche-Comté	15
14	Auvergne	7
15	Lorraine	2

De 10 departementen met de hoogste biologische productie

	Repartement	Biologische wijnbouwgrond (ha)
1	Gironde	817
2	Aude	519
3	Hérault	357
4	Gard	334
5	Bouches-de-Rhône	309
6	Vaucluse	271
7	Drôme	150
8	Dordogne	148
9	Var	95
10	Côte d'Or	80

Noot: *Bij de biologisch oppervlakte zijn een- en tweejarige conversiegronden niet meegerekend.*
Bron: *Maandblad 'Du sol à la table'.*

kalkpoeder en maerl (zeealgenpoeder) verwerkt wordt tot compost die de bodem met humus en sporenelementen moet verrijken, zonder dat deze overbemest raakt met stikstof. Op die manier worden ziektes voorkomen, wat de toekomstige ontwikkeling van de wijngaard ten goede komt.

In de lente wordt het bodemoppervlak op een daarvoor geschikt moment 8 keer losjes omgewerkt om hem goed te doorluchten en de nodige losheid te geven. Het snoeien van de takken van het oude hout gebeurt natuurlijk met de hand.

In de zomer moet de biologische wijngaard, ondanks het feit dat hij minder vatbaar is voor ziektes, toch twee traditionele behandelingen ondergaan: koper tegen meeldauw, en zwavel tegen oïdium. Insectenbestrijdingsmiddelen zijn daarentegen niet nodig, gezien het biologisch evenwicht van de bodem.

In de herfst wordt de druif pas geplukt als hij volkomen rijp is. Daarbij wordt erop toegezien dat alleen de gezonde en onbeschadigde druiven naar de cave gebracht worden.

De biodynamische wijnbouw

De inspanningen van de *biologische* landbouw zijn erop gericht het ecosysteem te ontzien door geen gebruik te maken van schadelijke bestrijdingsmiddelen. De *biodynamische* landbouw daarentegen beperkt zich tot het verrijken vande bodem met bepaalde stoffen die de groei van de wijnstok bevorderen.

De wijnbouwer kan daartoe allerlei stoffen over de grond van zijn wijngaard uitrijden, zoals kwartspoeder, gier van brandnetels, paardebloemen (rijk aan silicium) en valeriaan (rijk aan fosfor). Maar hij kan dat ook doen met paarden- en duivenmest, zoals zijn grootvader al deed.

Op die manier cultiveert Nicolas Joly de Savennières al 10 jaar zijn wijngaard in Maine-et-Loire, zonder mijten- en insectenbestrijdingsmiddelen. Dit heeft hem in 1991 de ereprijs van het gastronomisch maandblad 'Gault-Millau' opgeleverd, dat zijn 'Coulée de Serrant' omschreef als "een van de grootste droge wijnen ter wereld".

Het werk van een oenoloog

De wijnbouwer van vroeger deed aan oenologie zonder het te weten. Oenologie is de wetenschap van de wijnbereiding en -conservering. Tegenwoordig is dit het werk van de oenoloog, eigenlijk een chemisch ingenieur. De wetenschap heeft in enkele tientallen jaren tijd van de alchemistische meester van de wijnkelder een volleerd research-chemicus gemaakt. De eerste vertrouwde op de subtiele waarnemingen van zijn neus, zijn intuïtieve kennis van terroir, zijn gezonde boerenverstand en de vakkundigheid van zijn voorvaderen, die als het ware in het wijnvat geboren waren. De tweede verlaat zich tegenwoordig op zijn wetenschappelijke kennis, de reageerbuis en de computer.

Aangezien wijn tegenwoordig even goed is als die van vroeger, en volgens sommigen zelfs beter, is er geen enkele reden al te nostalgisch terug te kijken naar die goeie ouwe tijd.

De wijnbereiding

Druivensap gaat uit zichzelf gisten. In de open lucht ontstaat daarbij azijnzuur en vormt zich wijnazijn. In een gesloten vat echter ontstaat alcohol. Dit is de eerste stap in de bereiding van wijn.
De Europese Gemeenschap in Brussel definieërt wijn als volgt: "Wijn is een product dat uitsluitend verkregen wordt uit de totale of partiële vergisting tot alcohol van verse druiven die wel of niet getreden zijn, of van druivenmost, en dat bestemd is voor directe menselijke consumptie."

HOOFDSTUK 3

De bereiding van wijn (en niet de 'fabricage'!) verloopt volgens een nauwkeurig bepaald aantal stappen. Al naargelang we een rode, witte of rose wijn, droog of zoet, of mousserende wijn (méthode champenoise) willen krijgen, worden verschillende wijnbereidingsmethoden gevolgd.

We gaan nu, zonder al teveel in details te treden, zien hoe rode wijn gemaakt wordt.

De druiven, los of aan de tros, worden in gistkuipen gestort, gekneusd en geperst. Zo wordt alles dooreen gemengd, het kleurloze druivensap en de rode velletjes, en lossen de kleurpigmenten op. Tegelijkertijd begint de alcoholische gisting door microscopisch kleine schimmels, de gistcellen.

Tijdens de rijping van de druif zijn deze gistcellen op een natuurlijke manier op de washuid van de druif afgezet. Er zijn meer dan 300 soorten gist bekend, maar slechts een tiental spelen een rol in de wijnbereiding. De gisting stopt als alle suikers in het druivensap zijn omgezet in alcohol (ethanol, glycerol, heel weinig methanol).

De most blijft een bepaald aantal dagen in de kuip bij een temperatuur van tussen de 28°C en 32°C. Nadat de gisting gestopt is, wordt het vaste deel (marc of sediment) gescheiden van het vloeibare. De verkregen wijn (*'vin de goutte'*) is van eerste kwaliteit.
Door de schillen te persen wordt een wijn verkregen van mindere kwaliteit (*'vin de presse'*).
Vervolgens worden beide wijnen aan een tweede gisting onderworpen, de malolactische gisting die onmisbaar is voor rode wijn. Deze hernieuwde gisting brengt het zuurgehalte van de wijn omlaag; hierbij wordt appelzuur omgezet in melkzuur dat de helft minder zuur is.
In de loop van het wijnbereidingsproces kunnen enkele 'correcties' nodig zijn. Als de most te weinig suiker bevat, moet die toegevoegd worden. Dat heet *chaptalisatie*. Mocht de most te zuur zijn, dan moet hij

ontzuurd worden met calciumcarbonaat of kaliumbicarbonaat. En als de druif te weinig zuur bevat, wordt wijnsteenzuur toegevoegd.

Chaptalisatie is in bepaalde regio's met te weinig zon noodzakelijk om de most een voldoende hoog suikergehalte te geven.
Hiermee gaat het alcoholgehalte van de wijn omhoog (voor een stijging van 1° is 1,7 kilo suiker per hectoliter nodig).

Een bescheiden chaptalisatie is acceptabel (ze is trouwens bij de wet toegestaan), maar is totaal af te keuren wanneer ze misbruikt wordt, wat helaas nog te vaak het geval is.

In geïndustrialiseerde wijngaarden wordt kwistig omgesprongen met chemische bestrijdingsmiddelen en worden de natuurlijke wilde gisten grotendeels vernietigd. Daarom moet er overgegaan worden op *industriële gisten*. Hiervoor gebruikt men gisten die speciaal geselecteerd zijn op hun vermogen veel alcohol te produceren. Dit leidt tot een soort standaardtoepassing van gist, waardoor de wijnen een nogal eenvormige smaak krijgen. Deze standaardisering geeft misschien meer zekerheid, maar er gaat veel van het karakter van de wijn verloren.

Bovendien wordt vòòr het industriële gistingsproces *sulfiet* toegevoegd aan de most. Dit heeft als nadeel dat juist die gisten in hun werking geremd worden die de meest complexe aromatische nuances aan de wijn geven.
Daarentegen brengt terroir een inheemse microflora voort die het ene jaar anders is dan het andere vanwege klimaatschommelingen. Deze microflora geeft nu juist de wijn zijn karakterisitieke smaak en geur, en complexiteit. Alleen dan wordt een 'vin typé' verkregen.

Het toevoegen van sulfiet geschiedt voor, tijdens of na het gistingsproces. Het kan ook pas toegevoegd worden tijdens de conservering in de wijnkelder. Sulfiet is belangrijk vanwege de antioxyderende, antibacteriële en schimmeldodende werking. Hierdoor kan wijn beter en

langer bewaard worden. Sulfiet is zelfs onmisbaar in rode wijn die lang moet liggen. Daarom kunnen biologische wijnen, die geen sulfiet bevatten, minder lang bewaard worden.
Maar te veel sulfiet in witte wijn geeft hoofdpijn.

De opvoeding van wijn

Eenmaal uit de roestvrijstalen, betonnen of houten wijnkuip moet wijn nog allerlei subtiele behandelingen ondergaan. Hierbij komt de vakkundigheid, intuïtie en liefde van een waar kunstenaar, de oenoloog, om de hoek kijken.
Na het gistingsproces moet de wijn nog de volgende fases doorlopen:

- **De 'soutirage'** (afheveling). Hierbij wordt de wijn ontdaan van het gistsediment en koolzuurgas, zodat heldere wijn overblijft.

- **De filtratie**. Dit geschiedt met membraanfilters en maakt de wijn nog helderder.

- **De 'ouillage'**. Hierbij wordt het vat of de ton regelmatig met wijn bijgevuld om de verdamping te compenseren.
  Zo wordt de wijn beschermd tegen de zuurstof in de lucht en wordt azijnsteek en de daaruit voortvloeiende vorming van wijnazijn tegen gegaan.

- **De 'collage'** (klaring). Wederom een proces om de wijn helder te maken. Dit gebeurt met eiwit, gelatine, vislijm, caseïne of bentoniet (een sterk vlokkende kleisoort).

- **De microbiologische stabilisatie**, om te voorkomen dat de wijn veranderingen ondergaat na botteling.

- **De botteling**. Hierna volgt rijping op fles in de wijnkelder bij een temperatuur van 10°C tot 12°C en een vochtigheidsgehalte van 70%.

Tegenwoordig onderscheiden we twee categorieën oenologen. De 'stylistes' streven naar een optimale wijnkwaliteit door zijn karakter, met name zijn terroir, te accentueren.

De 'interventionnistes' proberen veeleer hun eigen persoonlijke stempel op de wijn te drukken. Zo'n wijn heeft absoluut geen fouten, maar mist toch het hem typerende terroir. Bij het proeven herkent een deskundige sommelier gemakkelijker wie de oenoloog is dan waar een cru vandaan komt.

De biologische wijnen

Deze wijnen zijn uiteraard afkomstig van de biologische teeltwijze. Ze hebben het lange tijd zwaar te verduren gehad van een neerbuigende houding van de traditionele wijnbouwers en de professionele wijnhandel. Geleidelijk dwingen ze steeds meer bewondering af, want er worden zeer goede wijnen en zelfs grand cru's gemaakt, en hun aandeel schijnt sterk te groeien.

Er zijn in Frankrijk nog maar 400 biologische wijnbouwers, die tezamen 260.000 hectoliter per jaar produceren, oftewel 0,5% van de totale Franse wijnproductie (cijfers uit 1993).
Onder hen treffen we gerenommeeerde wijnen van huizen van naam aan: Vosnes-Romanée, Coulée de Serrant, Bonnezeaux, Chaume, Grand cru de Saint-Émilion, Nuits-Saint Georges etc.
De biologische wijnen zijn vanzelfsprekend gezonder en van hoge kwaliteit. Tegenwoordig is er steeds meer vraag naar, zowel binnen als buiten Frankrijk en hun markt is nog altijd groeiende.

DE WIJNCONSUMPTIE

De laatste veertig jaar verschuift het consumptiepatroon van wijn. We zien een daling in het gebruik in de productielanden, met name in Frankrijk, en een toename in landen, met weinig of geen eigen productie.

De wijnconsumptie in Frankrijk

Sinds het midden van de 19de eeuw beschikken we in Frankrijk over statistieken waaruit we de veranderingen in het consumptiepatroon van jaar tot jaar kunnen aflezen:
Globaal kunnen we stellen dat tot de eeuwwisseling de wijnconsump-

jaar	liter/hoofd.jaar	jaar	liter/hoofd.jaar
1850	59	1960	129
1870	65	1980	91
1883	130	1980	91
1909	125	1990	74
1910	170	1992	64
1950	150	1994	62
1957	135		

tie sterk steeg (280% tussen 1850 en 1910) en dat ze vanaf de Tweede Wereldoorlog tot heden met bijna 60% gedaald is. We moeten daarbij bedenken dat deze getallen gemiddelden zijn, berekend over de totale Franse bevolking, terwijl de jeugd van onder de 15 zelden wijn drinkt. De consumptie per wijndrinker ligt dus hoger.

Om nauwkeuriger te zijn zouden we ook (maar dat is niet mogelijk) rekening moeten houden met de buitenlandse wijndrinkers in Frankrijk. Deze factor kan niet zomaar verwaarloosd worden;

Frankrijk is een van de belangrijkste toeristische trekpleisters van de wereld. Hoewel hij het thuis niet gewoon is te drinken, drinkt bijna elke toerist in Frankrijk wijn, hij vindt de wijn hier erg goedkoop en beter dan elders.

De wijnconsumptie van personen ouder dan 14 jaar

Tussen 1980 en 1995 is het percentage (regelmatige en periodieke) wijngebruikers gedaald van 76% naar 65%. Dit wil dus zeggen dat het aantal niet-gebruikers (volwassenen die nooit wijn drinken) gestegen is van 24% naar 35%.

wijnconsumptie *(mannen en vrouwen van 15 jaar en ouder)*

frequentie	1980	1995
elke dag	41,0%	22,8%
niet elke dag	5,9%	5,0%
geregeld	46,9%	27,8%
1 tot 2 keer/week	10,9%	15,6%
soms	18,6%	21,9%
bij gelegenheid	29,5%	37,5%
gebruikers	76,4%	65,3%
niet-gebruikers	23,6%	34,7%

Bron: *Enquête van het INRA te Montpellier en het ONIVINS*

verschil in consumptie tussen mannen en vrouwen				
frequentie	**mannen**		**vrouwen**	
	1980	*1995*	*1980*	*1995*
(bijna) elke dag	61%	37%	34%	18%
1 tot 2 keer/week	10%	22%	12%	15%
< 1 keer/week	13%	18%	23%	22%
nooit	16%	23%	31%	45%

Uit deze tabel kunnen we dus opmaken dat onder vrouwen de meeste niet-gebruikers voorkomen, hetgeen niet zal verbazen. Hiervoor zijn twee verklaringen:

De eerste is sociologisch van aard: alcohol drinken hoort bij mannelijk gedrag. Het aangeleerde sociale gedrag van wijn drinken, dat zo duidelijk is bij mannen, is bij vrouwen praktisch ondenkbaar.
De tweede verklaring is van fysiologische aard: het vrouwelijk lichaam kan minder goed tegen alcohol.

Ook in oudere leeftijdsgroepen zien we een met de jaren afnemende wijnconsumptie.

wijnconsumptie ouderen departement Bas-Rhin		
leeftijd	**mannen**	**vrouwen**
65-69	19,5%	1,0%
70-74	18,5%	1,2%
75-79	17,5%	1,2%
80-84	17,0%	1,4%
> 85	11,0%	1,5%

Wijn en kosten voor levensonderhoud

Sinds 1950 is het aandeel van wijn in het totale uitgavenpatroon voor levensmiddelen sterk afgenomen, hoewel dat in 1992 nog rond de 10% zat, wat een niet te verwaarlozen percentage is. De grootste verandering betreft echter de wijnkeuze. De gewone wijnen, vins de table, worden steeds minder gedronken.

consumptiepatroon tafelwijn *(afgelopen 40 jaar)*	
	liter/hoofd.jaar
1955	128
1960	120
1970	100
1980	85
1985	65
1990	45
1995	30

Daarentegen zit er een sterke groei in de consumptie van de betere wijnen, die vooral bij feestelijke gelegenheden worden gedronken.

aanwezigheid van de betere wijnen op tafel		
frequentie	**1980**	**1992**
elke dag	41,0%	22,8%
elke dag	9%	23%
bij feestmaal	35%	38%
als er gasten zijn	48%	71%

Deze statistieken laten zien dat toch nog 29% van de Fransen geen 'goede' wijn op tafel zetten als ze gasten te eten hebben. In het grootste wijnbouwland ter wereld kan dus nog heel wat verbeterd worden.

Geografische verdeling van de wijnconsumptie

Overal in Frankrijk wordt wijn gedronken, het is onderdeel van onze cultuur. Maar het gemiddelde wijngebruik per regio of departement verschilt sterk. Wie zou kunnen geloven dat dit in Bourgogne het laagst (25%) en in Picardie, waar wijngaarden even zeldzaam zijn als kokosbomen, het hoogst (46%) is.

In feite is er sprake van een geleidelijke overloop van de groep van regelmatige drinkers, wier aantal het sterkst daalt, naar die van de gelegenheidsdrinkers, die steeds groter wordt.
In Ile de France (Parijs dus), Champagne, Nord, Normandie, Picardie en Franche-Comté vertegenwoordigt de groep van regelmatige wijngebruikers minder dan 25% van de bevolking. In Ile de France, Nord en Nord-Est zien we ieder jaar weer een duidelijke daling van het regelmatige wijngebruik.

Waarom drinken Fransen minder wijn?

Het is interessant te weten waarom er Fransen zijn die helemaal geen wijn drinken, maar ook waarom ze niet regelmatiger drinken.
Verrassend is daarbij dat beide categorieën in aantal toenemen.

belangrijkste reden om absoluut geen wijn te drinken		
reden	**1990**	**1995**
lust geen wijn	53,1%	61,7%
gezondheid/veiligheid	27,3%	17,4%
principieel anti-alcohol	3,8%	5,8%
omgeving drinkt niet	4,6%	3,3%
nog niet leren waarderen	2,3%	2,3%
invloed anti-alcoholcampagne	1,2%	1,6%
geeft slecht image	0,5%	0,7%
te duur	0,4%	0,4%
andere reden	6,8%	6,8%

belangrijkste reden om, als regel, geen wijn te drinken		
reden	**1990**	**1995**
denkt er niet aan	18,5%	20,7%
geen behoefte	32,5%	29,4%
voor juiste gelegenheid	26,8%	22,8%
omgeving drinkt niet regelmatig	8,2%	3,4%
past niet bij mijn activiteiten	4,5%	1,8%
invloed anti-alcoholcampagne	0,9%	15,9%
te duur	3,0%	1,5%
andere reden	5,6%	4,5%

Het valt op dat bij de niet-drinkers de groep die geen wijn lust, groter wordt, namelijk van 53,1% in 1990 tot 61,7% in 1995.

Smaak is een kwestie van opvoeding, een belangrijke factor in de overdracht van onze eigen Franse cultuur. Het leren drinken van wijn verdwijnt steeds meer uit onze cultuur, ten gunste van de smaak voor andere dranken, zoals cola; daar zorgen in de huidige wereldcultuur de wegvallende grenzen wel voor.

Vroeger leerden we wijn drinken om ons te identificeren met vader of grote broer. Tegenwoordig leren we cola drinken, met in eerste instantie ook een stugge, zo niet onaangename smaak waaraan we moeten wennen. Maar dat moet je ervoor over hebben om mee te mogen doen met je vrienden.

Het is opvallend dat het motief 'gezondheid' de afgelopen vijf jaar met de helft is gedaald. Dit duidt erop dat steeds meer Fransen weten dat wijn niet schadelijk is voor de gezondheid. Daarentegen komt uit het onderzoek duidelijk naar voren dat steeds meer regelmatige drinkers onder invloed van de anti-alcoholcampagnes overstappen op gelegenheidsgebruik.

Toekomstperspectieven
De Franse wijnbouwer zit in een bevoorrechte positie. Met de grand cru's gaat het het beste, maar ook de anderen redden zich heel behoorlijk, hoewel de veilingprijzen voor wijn de laatste 10 jaar nauwelijks gestegen zijn. Hoe zal de Franse wijnbouw er over 10 tot 20 jaar uitzien, als ons wijngebruik steeds maar blijft dalen zoals al jaren het geval is?

De dalende lijn van het wijngebruik is tot nog toe een volmaakte rechte lijn. Hieruit zou een doorgewinterde pessimist kunnen afleiden dat bij een in hetzelfde tempo dalend wijngebruik de Fransen (in theorie) in 2010 geen wijn meer drinken!

Optimistische naturen menen echter dat de culturele traditie van wijn nog voldoende kracht bezit om dit rampzalige vooruitzicht te logenstraffen. Ondanks het feit dat de curve sinds 1980 lijnrecht daalt, kan daaruit nog niet opgemaakt worden dat het aantal niet-gebruikers zal stijgen tot meer dan de helft van de bevolking in het jaar 2000.

Sommige deskundigen weigeren toe te geven aan een pessimistische toekomstvisie en geloven in een krachtig herstel. Ze denken dat aan het begin van de 21ste eeuw de volgende verdeling in het wijnconsumptiepatroon tot stand zal zijn gekomen:

- 25% tot 30% regelmatige drinkers;
- 39% tot 41% gelegenheidsdrinkers;
- 30% tot 40% niet-gebruikers.

Kort samengevat kunnen we de Franse wijngebruiker van nu als volgt kenschetsen:
Hij drinkt minder.
Hij drinkt betere kwaliteit (weinig of geen tafelwijn).
Hij drinkt minder regelmatig en meer bij gelegenheid.
Hij drinkt met meer kennis van zaken (kiest uit AOC's).

Hieruit kunnen we afleiden dat de wijnbouw in de komende jaren zijn heil moet zoeken in kwaliteitsverbetering, niet alleen van zijn producten maar ook van de public relations.

Mondiale ontwikkelingen in de wijnconsumptie

De toenemende afkerigheid van wijn is niet iets typisch Frans, maar treft alle wijnproducerende landen.

wijngebruik in liters per inwoner per jaar		
productieland	**1975**	**1990**
Italië·	110	70
Portugal	90	85
Spanje	75	48
Griekenland	37	35

Bij de niet-producerende landen zien we daarentegen een lichte stijging van de consumptie.

wijngebruik in liters per inwoner per jaar		
niet-productieland	**1975**	**1990**
Groot-Brittannië·	4	10
Denemarken	10	30
Nederland	10	14
België·	16	19
Duitsland	22	26
Japan	0	1,2

Noot bij tabel: *Duitsland wordt hier ingedeeld bij de niet-producerende landen. Het beschikt over een wijnbouwgebied in het zuiden, maar in het land zelf is het wijngebruik altijd zeer gering geweest. Het grootste deel van de wijnproductie wordt geëxporteerd (USA).*

De Franse wijnbouwers moeten dan ook hun heil zoeken in de export naar niet-producerende landen, want het ziet ernaar uit dat de binnenlandse consumptie vooreerst alleen maar zal blijven dalen.

In Bijlage 6 vindt u aanvullende statistieken van de wijnconsumptie in Frankrijk, alsmede van het alcoholgebruik in de belangrijkste westerse landen.

Wijn is voedsel

Een voedingsmiddel is een eetbare substantie die macro- en micronutriënten bevat welke nodig zijn voor de opbouw en instandhouding van het menselijk lichaam.
In het licht van deze definitie is wijn ontegenzeggelijk een voedingsmiddel, want hij bevat macronutriënten (koolhydraten, wat eiwit) die energie leveren, en vooral micronutriënten (mineralen, spoor-elementen en zelfs wat vitaminen).
De voedingswaarde van een levensmiddel kan berekend worden uit zijn chemische samenstelling. De tabellen geven deze meestal voor een hoeveelheid van 100 gram. Voor een drank is dat om en nabij de 100 ml. Wij doen dat voor een liter.
We maken dus een analyse van 1 liter wijn en de uitkomst hiervan moeten we delen door 2 of 3 om de samenstelling van 50 cl of 33 cl wijn te krijgen; dit komt ongeveer overeen met een redelijke dagelijkse dosis.

DE SAMENSTELLING VAN WIJN

Eiwitten

Wijn bevat maar zeer weinig eiwit, ongeveer 1 tot 2 gram per liter. Maar in deze kleine hoeveelheid zijn wel bijna alle essentiele aminozuren vertegenwoordigd. Er zitten zelfs enkele peptiden bij (moleculen van meerdere aminozuren).
Wijn is in tegenstelling tot druivensap zo arm aan eiwit omdat hij tijdens de bereiding onder andere 'collage' ondergaat; hierdoor worden de meeste eiwitten in het sediment neergeslagen.
Dagelijks moeten we gemiddeld 1 gram eiwit per kilo lichaamsgewicht binnenkrijgen, en wijn is daarvoor dus niet de aangewezen weg.

Koolhydraten

Door het gistingsproces wordt het grootste gedeelte van de suikers in de most omgezet in alcohol.
In rode wijn zitten nog maar heel weinig restsuikers (2 tot 3 gram glucose en fructose per liter). In witte wijn kan dat meer zijn, tot 20 gram in enkele zeer fruitige wijnen, en zelfs 100 gram per liter in sommige zeer zoete wijnen (vin liquoreux). Deze gezamenlijke aanwezigheid van alcohol en suiker is niet wenselijk, want het geeft snel aanleiding tot hypoglycemie.
Behalve koolhydraten zitten er in wijn ook andere suikers, zoals polyolen (suiker-alcoholen) als sorbitol en glycerol.

Vetten

Wijn bevat geen vetten. Deze mogen er tijdens de bereiding ook niet in komen, want dat zou een onaangename smaak geven. De druivenpitten vormen hierbij de enige risicofactor, want daaruit zou bij het persen enige olie vrij kunnen komen.
De 'vettigheid' die we soms aan de binnenkant van een leeggedronken

glas wijn zien is in feite te wijten aan een combinatie van complexe koolhydraten en anthocyanen (polyfenolen).

Vezels

Volgens de voedingsmiddelentabellen komen er in wijn geen vezels voor. Maar sommige vezels van de druif, zoals pectine, zijn oplosbaar en zitten waarschijnlijk in de wijnoplossing. Met de gangbare analysemethoden zijn ze echter nog niet aan te tonen.

Water

Het watergehalte van wijn varieert. Per liter vinden we:

- 730 ml water in zoete wijn;
- 880 ml water in witte wijn van 11°;
- 920 ml water in rode wijn van 12°.

Alcohol

In feite moeten we over alcoholen spreken, want er zitten meerdere soorten in wijn. Het aandeel alcohol in wijn is:

- 75 g/l voor wijn van 9°;
- 88 g/l voor wijn van 11°;
- 96 g/l voor wijn van 12°;
- 160 g/l voor zoete wijn.

Deze getallen geven alleen gemiddelden weer; het alcoholpercentage van een wijn is afhankelijk van het suikergehalte van de druiven op het ogenblik van oogsten en van een eventuele chaptalisatie.
Het alcoholgehalte van wijn neemt af met de tijd.
Behalve ethanol bevat wijn ook zeer kleine concentraties propanol, butanol en pentanol.

Gelukkig zit er maar uiterst weinig van het giftige methanol in wijn. De aanplant van druivenvariëteiten die methanolontwikkeling bevorderen is verboden.

Mineralen

Sommige mineralen, zoals kalium, zijn volop in wijn aanwezig.

mineraal	**concentratie/liter wijn** *(mg)*	**benodigde hoev. volw./dag** *(mg)*
kalium	700-1600	2000-5000
calcium	50- 200	1000-1500
magnesium	50- 200	330- 420
natrium	20- 250	2000-4000
fosfor	100- 200	1000-1500

We moeten deze mineraalconcentraties l door 2 of 3 delen om te weten wat een wijndrinker bij redelijk gebruik per dag binnenkrijgt.
Magnesium en calcium komen in wijn voor in ionvorm en worden daarom goed door de darmen opgenomen. Het zwakke natriumgehalte maakt wijn tevens geschikt voor iemand die een zoutloos dieet moet volgen.

Spoor-elementen

Sommige wijnen, waaronder Médocs, bevatten veel ijzerionen die gemakkelijker door de darmen worden geabsorbeerd.
Wijn kan zodoende een belangrijke bron van ijzer zijn, maar te veel tannine werkt een goede opname in de darmen tegen.
Wijn kan ook minder gewenste spoor-elementen bevatten, zoals aluminium, lood en zelfs arseen.

spoor-element	concentratie/liter wijn *(mg)*	benodigde hoev. volw./dag *(mg)*
ijzer	2 -10	10-18
koper	0,2- 1	2
zink	0,1- 5	12-15
mangaan	0,5- 3	5

Vitaminen

Uit deze tabel blijkt dat in wijn maar weinig vitaminen voorkomen. Bovendien wordt vitamine B1 geïnactiveerd door de aanwezigheid van sulfiet, wat helaas bij veel wijnen het geval is, met name tafelwijn. Verder zien we dat er geen vitamine C in wijn zit, ondanks dat dit wel in de druif voorkomt.
De hoeveelheid vitamine B12 is te verwaarlozen.

vitamine	concentratie/liter wijn *(mg)*	benodigde hoev. volw./dag (mg)	
		mannen	vrouwen
B1 (thiamine)	0,1	1,5	1,3
B2 (riboflavine)	0,1-0,2	1,8	1,5
B3 (PP of niacine)	0,7-0,9	18	15
B5 (panthoteenzuur)	0,3-0,5	10	10
B6 (pyridoxine)	0,1-0,4	2,2	2

Polyfenolen

Dit is zeker een van de meest interessante bestanddelen van wijn. Het gehalte aan polyfenolen varieert van enkele milligrammen in witte wijn tot 1, 2 en zelfs 3 gram per liter in rode wijn. Oorspronkelijk zitten ze in de velletjes, pitten en steeltjes van de druif; met de alcohol komen ze in de wijn terecht.
Polyfenolen geven wijn zijn preventieve werking op hart- en vaatziekten; hier zullen we in een volgend hoofdstuk uitgebreid op terugkomen.

We onderscheiden de volgende polyfenolen:
- fenolzuren;
- flavonoïden (zoals vitamine P of citrine);
- anthocyanen;
- flavanolen (procyanidolen, catechinen);
- tanninen;
- quinonen;
- cumarinen;
- resveratrol.

Organische zuren

De meest voorkomende organische zuren in wijn zijn *wijnsteenzuur*, *appelzuur* en *salicylzuur*. Ze maken wijn tot een zure alcoholhoudende drank met een pH van 2 tot 3. Deze zuurgraad komt nagenoeg overeen met die van ons maagsap, en dit bevordert de vertering van eiwitten in onze voeding, met name vlees.

Andere bestanddelen

Wijn bevat ook *aldehyden* (20 mg/l) die met *esters, alcoholen* en *fenolen* behoren tot de vluchtige stoffen die zorgen voor de verschillende aroma's in wijn.

Maar we vinden in wijn ook minder gewenste substanties, die problemen kunnen geven, zoals *sulfiet*, *histaminen*, *tyraminen*, *serotonine* etc.

GEEFT WIJN OOK 'KRACHT'?

Eeuwenlang ondersteunde wijn de fysieke inspanningen van de arbeider. Men was ervan overtuigd dat wijn kracht en ook werklust schonk. Mijn overgrootvader zat in de tweede helft van de 19de eeuw in de bosbouw. Hij gaf zijn plankenzagers (die een boom over de lengte met de hand in planken zaagden) per contract de man 4 liter wijn per dag (of 40 cl per werkuur). Aangevuld met de wijn die ze bij de maaltijden gebruikten, kwam hun dagelijkse consumptie op zo'n 6 liter.
Sommigen van hen, maar dit terzijde, bereikten een voor die tijd alleszins respectabele leeftijd.

Iets meer in onze tijd, in september 1949, kwam een medisch congres te Bordeaux tot de conclusie dat "een arbeider meer dan een liter en een intellectueel minstens en halve liter wijn per dag dient te drinken om goed te kunnen presteren". Maar wetenschappelijk onderzoek van na die datum weerlegt dit nog altijd door velen aangehangen idee.

Met zijn 500 tot 600 kcal per liter schijnt wijn een uitstekende 'brandstof' voor het lichaam. Laten we eens gaan kijken wat er met de alcohol, de enige energie-leverancier in wijn, gebeurt in ons lichaam.

Allereerst komt er veel warmte vrij. Iedereen zal dit wel eens opgemerkt hebben, bijvoorbeeld aan een welbesproeid feestmaal waar de tafelgenoten al gauw hun jasjes uittrekken en het bovenste knoopje van hun hemd losmaken.

Zo hebben we na een diner met wijn ook veel minder behoefte om 'onder de wol te kruipen'. Want 65% tot 70% van de energie in alcohol wordt omgezet in warmte. Bij magere personen zien we dit duidelijker

dan bij dikke, en bij actieve mensen is de warmteontwikkeling sterker dan bij hen die een zittend leven leiden.
Als we na een welbesproeide maaltijd ons lichaam wat beweging gunnen, al is het maar een wandeling, zorgen we ervoor dat de warmte zich over het hele lichaam verspreidt. Daardoor treedt er een betere ventilatie op en gaan we het akelige gevoel van congestie tegen dat we wel zouden hebben als we passief in een hoekje blijven zitten.
Een deel van de energie (5% tot 10%) gaat verloren met de urine, met zweet en in de uitgeademde waterdamp.

Slechts 20% van de energie komt ten goede aan de hersenen, het zenuwgestel en de rode bloedcellen. In tegenstelling tot wat lang gedacht werd krijgen de spieren er niets van.

Ten slotte zij nog gezegd dat, bij excessief alcoholgebruik, 5% tot 10% van de energie kan worden omgezet in reservevet in de lever (leververvetting).

WIJN EN SPORT

Behalve bij zeer matige consumptie (minder dan 2 glazen per dag) kan alcohol een handicap zijn bij sportbeoefening vanwege de kwalijke effecten op de spieren.

Als er alcohol in het bloed, komt er minder glucose (-30%), dé brandstof van de spieren, ter beschikking. Verder blokkeert alcohol het mechanisme van de neoglucogenese, waarbij reservevet omgezet wordt in glucose. Bovendien is het gevaar van verzuring groter, waardoor het uithoudingsvermogen kleiner wordt, en hopen de afvalstoffen van de stofwisseling zich op (ureum, urinezuur). Behalve het risico van een hypoglycemie lopen we ook nog het gevaar met de urine veel magnesium kwijt te raken.
Hieruit blijkt dus hoeveel onze spierkracht achteruit kan gaan door te

veel alcohol (verlaging van de tonus, lagere reactiesnelheid bij met name duursport).

Alcohol kan nog andere schadelijke en nadelige bijwerkingen hebben voor de sporter.
Water uit de cellen komt weer in de circulatie en dit kan een onaangenaam gevoel van zwaarte geven, vooral armen en benen. Bovendien wordt door de diuretische werking van alcohol het urinevolume vergroot en dus vochtverlies versneld.

Ook is er een lichte vernauwing van de bronchiën waardoor het bloed minder goed van zuurstof wordt voorzien.

Voor sportbeoefenaars is het belangrijk te weten dat de sensatie van warmte door alcohol in feite alleen aan het huidoppervlak gevoeld wordt. Vreemd genoeg is er binnen het lichaam sprake van een algehele temperatuurverlaging die des te sterker is naarmate de sporter minder complexe koolhydraten gegeten heeft. Hierdoor begrijpen we ook beter hoe gevaarlijk het is om voor of tijdens sporten in de kou (skiën, schaatsen, alpinisme) koffie met cognac of glühwein te drinken.

Voor een topsporter heeft zelfs een kleine hoeveelheid alcohol al nadelige gevolgen voor het prestatievermogen.

Samenvattend kunnen we stellen dat het gebruik van alcohol voor of tijdens een sportinspanning, afhankelijk van de hoeveelheid, de volgende gevolgen heeft:

- vochtverlies;
- glucosetekort in de spieren;
- verlaging van het prestatievermogen;
- verminderde waakzaamheid met het risico van levensgevaarlijke ongelukken.

We zullen nu wel begrijpen waarom alcohol voor of tijdens het sporten

sterk ontraden moet worden, maar wat te denken van 'de laatste rust', na de wedstrijd?
Ook in de uren na een sportieve inspanning doen we er verstandig aan geen alcohol te drinken, vooral als de wedstrijd de volgende dag wordt voortgezet (tennistoernooi, wielerwedstrijd etc.).
Alcohol na een grote inspanning kan aanleiding geven tot een sterkere verzuring (kans op peesontstekingen), langzamer herstel van de spieren (langdurige spierpijn) en verhoogd mineralenverlies (waardoor men langer moe blijft).

Regelmatig te veel alcohol gebruiken tussen de wedstrijden (een vaak voorkomend verschijnsel in de wereld van het rugby) veroorzaakt vitaminenverlies (b.v. vitamine B1 voor de glucosestofwisseling en vitamine D voor de mineralentoevoer aan het beendergestel), en ook mineralenverlies (calcium, magnesiumverlies met kans op krampen).

Vrouwen en dus ook vrouwen in de sport zijn bijzonder kwetsbaar voor kleine dagelijkse hoeveelheden alcohol. Ze maken van nature de helft minder enzymen aan voor de alcoholstofwisseling en hebben een kleinere spiermassa.

Atleten kunnen tijdens rust- of trainingsperioden gerust 1 of 2 glazen wijn drinken bij de maaltijd (met name het diner), maar nooit op de dag voor, tijdens en na een wedstrijd.

Een bescheiden hoeveelheid wijn is zelfs aan te bevelen, omdat de sporter hiermee profiteert van de krachtige antioxyderende werking van de polyfenolen; deze bestrijden de schadelijke vrije radicalen die bij topsport en masse vrijkomen. Maar ze moeten wel bescheiden blijven met alcohol, want een teveel doet op zijn beurt weer vrije radicalen ontstaan.
Sportbeoefening is een goede ondersteuning voor iemand die herstelt van een alcoholverslaving. Een stevige wandeling of fietstocht behoort ook tot de mogelijkheden.

WORD JE VAN WIJN DIK?

Regelmatige wijndrinkers, geen alcoholisten, merkten dat ze enkele kilo's van hun overgewicht kwijtraakten zodra ze overstapten op water. Andere mannen beweerden indrukwekkende resultaten geboekt te hebben in FASE I van de Methode Montignac, terwijl ze toch gewoon hun gulle glas wijn bleven drinken na iedere maaltijd en dat ook nooit hebben willen opgeven.
Word je van wijn dik? Wie spreekt de waarheid?

Wijn bevat toch energie!

Energiehoudende voedingsstoffen leveren een bepaalde hoeveelheid energie, gewoonlijk uitgedrukt in calorieën, of beter kilocalorieën:

- 1 gram eiwit levert 4 kcal;
- 1 gram koolhydraten levert 4 kcal;
- 1 gram vet levert 9 kcal.

Alcohol levert 7 kcal.

De calorische waarde van wijn varieert met de alcohol- en suikergehaltes van de diverse wijnen.
- 540 kcal per liter rode wijn van 9°;
- 690 kcal per liter rode wijn van 12°;
- 700 kcal per liter witte wijn van 11°;
- 1520 kcal per liter zoete witte wijn.

Maar heeft het enige zin om de calorische waarde van wijn te kennen? Want het is maar een abstract getal voor wijn in de fles; hoe het de wijn vergaat in het lichaam is een heel ander verhaal.

De absorptie van calorieën verschilt met het moment van de dag.
's Avonds is deze sterker dan 's morgens. De calorische inhoud is ook sterk afhankelijk van de omstandigheid of wijn op een nuchtere maag

gedronken wordt, of tijdens de maaltijd. Dit is duidelijk af te lezen uit de totaal verschillende alcoholgehaltes van het bloed in beide gevallen. Vervolgens wordt de absorptie van alcohol (en suikers) ook nog eens beïnvloed door de samenstelling van de maaltijd, met name door de hoeveelheid (oplosbare) vezels die het voedsel bevat.

Tegenwoordig weten we dat een caloriearm dieet voor iemand die wil afslanken, de beste garantie is om daarin te *falen*! Onderzoek heeft allang uitgewezen dat energie niet de bepalende factor is bij gewichtstoename. Om af te vallen moeten we ons in onze voedselkeus oriënteren op de kwaliteit en niet op de kwantiteit. De obsessie voor calorieën in de dieetleer is al lang en breed achterhaald.

We kunnen ons dus beter buigen over die boeken die een antwoord hebben proberen te vinden op de vraag of wijnconsumptie al dan niet gewichtstoename bevordert. Aan de hand daarvan kunnen we dan bij onszelf te rade gaan of we wijn kunnen blijven drinken als we willen afvallen.

De statistieken wijzen uit dat het percentage vetzuchtigen onder wijngebruikers niet hoger is dan dat onder niet-gebruikers.
Het effect van wijn op ons gewicht is niet gelegen in het aantal gedronken glazen, maar in de verhouding van deze bijkomende energietoevoer tot die van de gehele maaltijd. Als we wijn (vanaf 3 glazen) bovenop een maaltijd van normale samenstelling drinken, kan dat gewichtstoename bevorderen. Als we daarentegen een gedeelte van zo'n normale maaltijd vervangen door wijn, zullen we niet alleen niet aankomen, maar zelfs afvallen.
We zouden dus met wijn kunnen afvallen wanneer we elders in de maaltijd bezuinigen, maar dit zou ten koste kunnen gaan van de spiermassa, wat gevaar kan opleveren voor de gezondheid.

Een en ander is dus afhankelijk van de vraag of wijn koolhydraten of vetten vervangt. Zeker is in ieder geval dat één glas wijn na een nor-

male maaltijd afslanking van de vetmassa bevordert. Wijn heeft daarbij tweeërlei invloed; ten eerste zorgt hij voor een relatieve vermindering van de insulineafscheiding (-1,4 eenheden/liter) en ten tweede verhoogt hij het energieverlies met 7%.
Ingeval we meer dan 3 glazen wijn drinken bij een overvloedig maal, is het om, om eventuele gewichtstoename te beperken, aan te raden het energieverlies te stimuleren door een betere ventilatie van het lichaam (jas uittrekken, hemd losknopen, het raam openen etc.) en door het lichaam wat beweging te gunnen na de maaltijd.

Bij oudere mensen worden voedingsstoffen minder goed door de darmen geabsorbeerd. Ze produceren ook minder enzymen waardoor de alcohol minder goed wordt opgeslagen of in reservevet omgezet. Hieruit volgt dat het lichaam van de oudere mens beter tegen alcohol bestand is dan dat van een jongere volwassene.

Samenvattend kunnen we stellen dat er bij een alcoholgebruik van 30 gram per dag (oftewel 3 glazen wijn van 10 cl) bij de twee belangrijkste maaltijden geen enkel gevaar bestaat voor gewichtstoename bij een gezond persoon met een normaal postuur zoals in FASE II van de Methode Montignac.

Iemand kan in de loop van het vermageringsproces (FASE I) gerust 3 glazen wijn drinken zonder daarmee dat proces te onderbreken, mits hij tegelijkertijd de hoeveelheid vet in zijn menu evenredig vermindert. Dit laatste is de reden dat veiligheidshalve in de methode Montignac wijngebruik in fase I wordt ontraden; daarin ligt de nadruk op 'naar behoefte eten'. Alleen mensen die om gezondheidsredenen op moeten passen met vet zullen genegen zijn dit wat nauwkeuriger te registreren, de anderen zullen hier niet zo op letten en zullen dus kans lopen op gewichtvermeerdering wanneer ze enkele glazen drinken.
In ieder geval moeten mannen of vrouwen die een zittend leven leiden tijdens de afslanking de dagelijkse hoeveelheid wijn beperken tot 2 glazen om het gevaar van gewichtstoename uit te sluiten.

HOOFDSTUK 5

Wijn: medicijn sinds mensenheugenis

De geschiedenis van de geneeskunst vanaf de Oudheid leert ons dat wijn sinds zijn ontdekking door de mens op brede schaal wordt toegepast in de therapeutische praktijk.
Zowel in de traditionele geneeskunst van de Grieken, Egyptenaren en Romeinen, alsmede van de bijbelse tijden, de Middeleeuwen en de Renaissance, maar ook van de eeuw der Verlichting en de Industriële Revolutie was wijn altijd een van de meest gangbare medicijnen.
Hij behield deze eervolle plaats totdat hij dankzij de moderne biologie vervangen werd door de producenten van de farmaceutische industrie.
Eenmaal ontdaan van zijn aureool van medicijn, werd wijn na de laatste wereldoorlog een gemakkelijke prooi voor de fanatieke anti-alcohollobby. Geleidelijk kwam hij in het verdomhoekje te zitten van verdachte, of erger nog de verwerpelijke dranken.
Vooraanstaande doctoren, zoals prof. Masquelier, verkondigen al 25 jaar tevergeefs dat wijn ten onrechte in die hoek gedrukt wordt. Wetenschappelijk onderzoek bevestigt juist de heilzame werking van wijn voor onze gezondheid.
De recente uitzending op de Amerikaanse tv over de geruchtmakende

'Franse paradox' was nodig om opnieuw te ontdekken dat wijn ook een medicijn is en met name opmerkelijke eigenschappen heeft op het gebied van de preventie van hart- en vaatziekten.

De oudste, door archeologen ontdekte aanwijzing van medicinale toepassing van wijn is een inscriptie die gevonden is in de grafkamer van Plah-Hotep van ongeveer 4000 jaar voor Christus. Een vergelijkbare boodschap is ook teruggevonden op een Soemerisch kleitablet uit de stad Nippoer dat dateert van 3000 v.C.

DE GRIEKSE OUDHEID

In de tempels die gewijd waren aan Asklepios, de god van de gezondheid, beoefenden de Grieken in het begin een soort sjamanistische geneeskunst met bezweringsformules en tovenarij.
Deze moest geleidelijk het veld ruimen voor de echte remedies. Onder hen nam wijn een vooraanstaande plaats in. Bij Homerus lezen we bijvoorbeeld dat de verwondingen van Philoktetes tijdens het beleg van Troje verzorgd werden met wijn door Podaleirios, een zoon van Asklepios.
Pas met Hippokrates (460-377 v.C.), de vader van de moderne geneeskunde, van wie een groot aantal recepten vandaag de dag nog actueel zijn, vond wijn werkelijk ingang als geneesmiddel.

De artsen van nu zouden bij het afleggen van hun eed de volgende woorden van de meester in gedachten moeten houden: "Wijn is een bij uitstek geschikt medicijn voor de mens, mits hij bij gezondheid of ziekte op de juiste tijd en met de juiste maat wordt toegediend, en er daarbij gelet wordt op de lichamelijke gesteldheid van het individu."

Hippokrates beschikte over veel humor en beweerde dat ernst en droefheid verantwoordelijk waren voor ziekte. Daarom beval hij wijn aan, want "wijn doet lachen en geeft een goed humeur". Toch schreef

hij niet zomaar wijn voor, zoals blijkt uit het volgende: "Iets brengt alleen dan genezing wanneer we het op het juiste tijdstip toepassen. Wijn die op het juiste moment toegediend wordt, is een medicijn, maar laten we een zieke daarvan drinken op een ongunstig moment, dan kan hij een aanval krijgen van razernij of een delirium, en is wijn eerder de oorzaak van zijn ziekte dan de kuur."

Naast inwendig gebruik beval Hippokrates wijn ook aan in verbandmaterialen en zalven ter behandeling van wonden en bepaalde gevallen van reuma.

Enige tijd later ontwikkelde Theophrastos (372-287 v.C.) medicinale wijnen door er kruiden en specerijen met bekende geneeskundige eigenschappen doorheen te mengen.

ROME

Voor het oude Rome had wijn nog niets van zijn geneeskrachtige eigenschappen verloren. Veel schrijvers getuigen daarvan.
Dioscorides (1ste eeuw n.C.) schrijft in zijn verhandeling 'De Materia Medica': "Goede, natuurlijke wijn verwarmt, is gemakkelijk verteerbaar en goed voor de maag, wekt de eetlust op, is voedzaam, verbetert de slaap, versterkt het lichaam en geeft een gezonde teint."

De natuuronderzoeker Plinius de Oudere, die in Pompeii tijdens de uitbarsting van de Vesuvius in het jaar 79 het slachtoffer werd van zijn eigen weetgierigheid, somt in zijn boeken over natuurlijke historie een aantal medische toepassingen op van wijn alsook van de bladstelen en pitten van de druif. Hij schrijft onder andere het volgende: "Wijn schenk levenskracht, wekt de eetlust op, bevordert de slaap, maakt vrolijk en verbetert de spijsvertering." Hij sluit aan bij de lessen van Hippokrates en bevestigt dat "wijn een geneesmiddel is. Hij voedt het bloed van de mens, hij verblijdt de maag en stilt verdriet en angst".

Alles wijst erop dat de Romeinen van die tijd deze goede raadgevingen niet in de wind sloegen, als we tenminste Petronius mogen geloven in zijn beschrijving van het beruchte feestmaal van Trimalcion, die zich aldus tot zijn disgenoten richt: "...wijn leeft langer dan de mens; laten we dus als sponzen drinken, want wijn is leven."
Ten slotte citeren we Galenus (130-201 n.C.) die ons vertelt hoe hij een spijsverteringsstoornis van keizer Marcus Aurelius behandelde: "Ik schreef hem een glas wijn voor, bestrooid met peper." Celsus, een arts ten tijde van Augustus, bevestigt de ideeën van Galenus wat betreft de geneeskrachtige werking van wijn.

IN BIJBELSE TIJDEN

Wijn wordt in de bijbel vanwege zijn heilzame eigenschappen meer dan 450 keer genoemd. Zo raadt Paulus Timotheus aan zijn maagzweer met wijn te behandelen. Ook de Talmoed, die in Babylon ontstond, beschouwt deze drank als het geneeskrachtigste medicijn.

DE MIDDELEEUWEN

Met de val van het Romeinse Rijk raken de werken van Hippokrates en Galenus een tijdlang in de vergetelheid. God werd gezien als de enige die een zieke kon genezen, mits deze het juiste geloof bezat. Alleen de monniken van die tijd die tevens wijnbouwer waren (al was het maar voor de productie van miswijn), bleven ziekten behandelen met wijn, waarin ze zelf gekweekte medicinale planten lieten trekken.

Met de School voor de Geneeskunst te Salerno in Campania (Italië) die in de 9de eeuw tot ontwikkeling kwam, won de opvatting weer terrein dat het gegiste sap van de druif veel geneeskracht in zich borg. Als getuigenis daarvan werd boven de ingangspoort van het ziekenhuis het volgende motto gegraveerd: "Drink een beetje wijn."

De studieboeken van deze vooraanstaande medische faculteit gingen gedetailleeerd in op de werking van wijn. Zo kunnen we bijvoorbeeld lezen: "Goede wijn geeft oude mensen een tweede jeugd. Zuivere wijn heeft meerdere goede eigenschappen: hij versterkt de hersenen, verblijdt de maag, verjaagt een slecht humeur en ontlast overbelaste ingewanden. Hij zorgt voor een levendige geest, stralende ogen en een scherp gehoor; hij werkt het buikje weg en geeft een stevige en gezonde levenshouding."

Naast de School van Salerno, die een grote uitstraling had tot in de 12de eeuw, geeft ook de vermaarde Arabische arts Avicenna (980-1037) hoog op van de verdiensten van wijn, die hij met stelligheid "de beste vriend der wijzen" noemt.

Aan het eind van de Middeleeuwen (van de 12de tot de 14de eeuw) trad de scholastieke geneeskunde op de voorgrond, met als een van de hoogtepunten de oprichting van de medische faculteit van Montpellier in 1220. Hier werden hoofdzakelijk oude medische teksten nageplozen, die een grote inspiratiebron waren.

In de 'Antidotaire Nicolas' bevat bijna de helft van de 'medische' recepten wijn meestal als hoofdbestanddeel. Het is het tijdperk van de befaamde triakels, drankjes die samengesteld werden uit een grote hoeveelheid bestanddelen. Al die preparaten hadden tot doel "de lichaamswarmte te herstellen", "de buizen van lever, gal en blaas schoon te spoelen", "schadelijke vochten (humeurs)" af te voeren, de spijsvertering te vergemakkelijken en wonden te reinigen. Veel wijnhoudende preparaten werden toegepast bij uitwendige behandeling.

Henri de Mondeville (1260-1320), een groot oorlogschirurg, schreef zijn patiënt een dag na de operatie aan een oorlogswond altijd wijn voor. "Maar de wijn", zo zegt hij, "moet wel de beste zijn die je kunt vinden, licht, aromatisch en aangenaam voor de tong. Geef een Parijse kop (50 cl) bij het ontbijt en 's avonds nog een halve."

Arnaud de Villeneuse (1240-1320) had een bijzondere voorliefde voor witte wijnen, “die minder warmte en voeding geven. Ze zijn minder schadelijk voor de hersenen en drijven meer urine af dan andere wijnen. Ze zijn meer geschikt voor scholieren en studenten, die wijn moeten drinken die hun verstand tot rust brengt. Evenzo zijn ze geschikt voor mensen die van nature of af en toe vermoeide hersenen hebben”.

Boccaccio vertelt dat hij gespaard bleef voor de pest door met mate wijn te drinken.

DE RENAISSANCE

De principes van Hippokrates en Galenus bleven lange tijd de enige die er in de geneeskunst op nageslagen werden. De werken van onderzoekers als Harvey en Pecquet over de bloedsomloop en het lymfesysteem vonden slechts met de grootste moeite ingang.
Het toenmalige apothekershandboek werd nog altijd beheerst door planten. Door de toenemende kennis en het feit dat men in die tijd steeds meer open ging staan voor ‘het wereldse’, alsmede door zijn lange staat van dienst in de Oudheid werden de geneeskrachtige eigenschappen van wijn steeds meer bevestigd.
Een van de eersten die hem aanprees en promootte was niemand minder dan François Rabelais, van wie we maar al te vaak vergeten dat hij een vooraanstaand medicus was aan de universiteit van Montpellier. Hij verkondigde luid en duidelijk dat wijn “de geest en het verstand scherpt, de droefheid verjaagt en vreugde en blijheid schenkt”.

Hij adviseerde warme wijn met st.-janskruid als kalmerend middel bij stekende pijnen.
Medicinale recepten van plantenaftreksels in wijn werden in die tijd vooral aanbevolen om hun antiseptische eigenschappen, en verder bij keel-, neus- en oorinfecties, hoesten, het opwekken van zog bij kraamvrouwen, geelzucht, of als afrodisiacum (41 recepten om “het liefdes-

vuur op te rakelen"). Maar jichtlijders werd wijn ontraden.
Michel de Montaigne, een tijdgenoot van Rabelais, was naast literator en moralist-filosoof ook wijnbouwer in de streek rond Bordeaux. Hij bestreed zijn nier- en blaasstenen bij voorkeur met witte wijn en schreef er telkens uitvoerig over als hij maar even merkte dat zijn behandeling succes had.
Hij was een onvermoeibaar reiziger die constant op zoek was naar cultuur en wijsheid. Zo volgde hij het meer van Genève voor een kuur met de petit cru van Villeneuve, een witte wijn bekend om zijn diuretische eigenschappen. Deze wijnlievende filosoof betuigde zijn adhesie aan de beginselen van de School van Salerno, zoals blijkt uit zijn 'Essais': "Ik heb die prima Parijse arts Sylvius horen zeggen dat je je maag sterk houdt door één keer per maand stevig wijn te drinken; dit zou zijn kracht opwekken en hem prikkelen, waardoor hij niet slap, zwaar en log wordt." Dit was ook de gangbare praktijk van de Hollandse humanist Erasmus, die in de wijnen van Beaune de ideale remedie vond voor zijn trage spijsvertering.
Ambroise Paré, de chirurg der Valois, maakte systematisch gebruik van rode-wijnomslagen voor de behandeling van oorlogsverwondingen. Wij begrijpen dit sinds is komen vast te staan dat veel rode wijnen, met name de cru's van Médoc, antibiotische eigenschappen hebben.

DE EEUW DER VERLICHTING

Uit het beeld dat Molière ons op humoristische wijze van zijn tijd schetst, komen de aderlating, het purgeermiddel en het lavement naar voren als de 'heilige drie-eenheid' van iedere 'serieuze' medische behandeling.
Maar dat wil niet zeggen dat men afgestapt was van het gebruik van gegist druivensap. Integendeel, wijn bleef zijn plaats behouden als basis-geneesmiddel. Zo schreef Fagon, lijfarts van Lodewijk XIV de Zonnekoning, zijn doorluchtige patiënt ingeval van een jichtaanval champagne voor in plaats van de bourgogne die dagelijks op het

koninklijk menu stond. De arts Helvetius, die toezag op de gezondheid van de Regent, Philippe van Orléans, schreef hem op een totaal van 60 recepten meer dan 20 keer medicinale wijn voor. Deze beroemde arts verklaarde dat "er niets op tegen was om met mate wijn te gebruiken, want hij is nuttig en zelfs noodzakelijk voor de bevordering van de spijsvertering en de versterking van de maag bij herstel van ziekte".

De chemicus Fourcroy was dezelfde mening toegedaan. Hij schreef: "Wijn is een uitstekend geneesmiddel voor mensen die normaal niet drinken. Het is een tonicum, dat algemeen aansterkend werkt, met name op maag en hart."

In die tijd was de overgrote meerderheid van de Franse en buitenlandse medische wereld het er wel over eens dat de geneeskrachtige eigenschappen van wijn verder gingen dan alleen de verbetering van spijsverteringsstoornissen. Verwonderlijk is dat juist in de Angelsaksische landen deze overtuiging nog het sterkst was.

Misschien herinnert u zich dat op instigatie van Cromwell onder voorwendsel van een terugkeer naar "de zuiverheid der zeden" de bloeiende wijnbouw in Groot-Brittannië verboden werd. Sedertdien zijn de Engelsen grote liefhebbers van Franse wijn (met name bordeauxwijn). Het zijn geen regelmatige wijndrinkers, maar ze zijn zich er altijd van blijven bedienen voor hun gezondheid.

In de Encyclopédie van Diderot en d'Alembert is een lang artikel gewijd aan de geneeskrachtige werking van verschillende wijnen: "De wijnen van Orléans versterken de maag, de wijnen van Bourgogne zijn voedzaam, de rode wijn van Bordeaux is streng; hij verstevigt de tonus van de maag, hij vertroebelt noch het hoofd noch de werking van de geest, hij wordt zelfs beter van transport, hij is misschien wel de gezondste wijn van heel Europa. De wijnen van Champagne ademen een subtiele geur die het brein opvrolijkt." En Voltaire zegt het zo: "Een beetje wijn op zijn tijd geneest lichaam en ziel."

DE 19DE EEUW

In de loop der eeuwen heeft de toepassing van gegist druivensap als geneesmiddel zich steeds verder ontwikkeld en verfijnd. Zo ontwikkelde ene Todd zelfs een 'alcoholtherapie'.
Wijn werd officieel toegepast bij de bestrijding van dysentherie en cholera. In 1822 schrijft de Franse arts Magen in het bijzonder bordeauxwijn voor bij dit type aandoeningen. Hij bereidde hiermee de weg voor Rambuteau die in 1886 tijdens een nieuwe cholera-epidemie ter preventie wijn liet toevoegen aan het drinkwater. Een groot aantal artsen, zoals Chomel, Sabrazès en Mercadier, hadden geconstateerd dat médocwijn een bacteriedodende werking heeft op typhus- en cholerabacillen. Zo dachten Gigon en Richet dat Sauternes-wijnen dodelijk waren voor colibacillen, hetgeen ook andere artsen, zoals de Weense arts Pieck, hadden geconstateerd. De laatste beval ook aan om vervuild drinkwater voor eenderde met wijn te versnijden om het weer drinkbaar te maken.
Al lang was wijn een bestanddeel in producten die gebruikt werden bij lavementen. Pas in de 19de eeuw vond deze behandeling grote bijval, toen alcohollavementen zeer doeltreffend bleken bij de behandeling van bleekzucht (bloedarmoede), slechte spijsvertering, maagzweren, vloeiingen bij de bevalling en zelfs tuberculose.
In deze periode maken ook de medicinale wijnen een grote bloei door: 164 daarvan worden in 1840 opgenomen in het apothekershandboek van Parijs. 11% van de wijn van het gemeentelijk armbestuur werd gebruikt voor deze medicinale wijnen (oftewel 3,2 miljoen liter in 1893).
De wezenlijke kracht ervan school veeleer in de werkzame bestanddelen van de plantenextracten; de wijn diende voornamelijk als oplosmiddel. Zo waren er wijnen:

- met kaneel, om de eetlust op te wekken;
- met gentiaan, om de spijsvertering te verbeteren;
- met absint-alsem, om de maag te versterken en wormen te verdrijven;
- met ijzeracetaat, een aansterkend middel;

- met herfsttijloos en opium, tegen jicht;
- met kinine, om de koorts te laten zakken; etc. etc.

Van deze waren de kininewijn en vooral de Mariani-wijn erg in trek, dankzij uitgebreide reclamecampagnes in vooraanstaande bladen van die tijd, zoals de 'Illustration'. Een beroemd chirurg uit Lyon, Prof. Villard, verleende zelfs actief medewerking aan deze campagne door te tekenen voor de slogan "De genezing begint met de scalpel en eindigt met een glas Mariani".

Het idee van de "wijn voor atleten" waarin cocaïne en colanoten zaten, werd weer opgepakt door een Amerikaanse apotheker; omdat hij geen wijn ter beschikking had, verving hij die door suikerwater. Het is bekend hoe het dit drankje vergaan is, nadat een firma in Atlanta besloot er koolzuurgas aan toe te voegen.

Aan het eind van de 19de eeuw durfden sommige artsen zelfs te stellen dat wijn brood vervangen kon in de dagelijkse voeding. Verklaarde dr. Jules Guyot in 1866 niet dat een gezin van vier personen "ten minste 15 hectoliter wijn per jaar, oftewel 1 liter per persoon per dag, moest drinken om in goede lichamelijke conditie en in het bezit van al zijn geestelijke vermogens te blijven"?

In een tijd, dat de strijd tegen de alcohol geboren werd, stelt dr. Guyot, die uitvoerig aan het debat meedoet, "de natuurlijke, voedzame en weldadige wijn" tegenover de alcoholische dranken die afkomstig waren van slechte destillatie, zoals de absinth die toen al slachtoffers begon te maken. De brave doctor spreekt in zijn campagne de wens uit dat arbeiders de kroeg, die poel des verderfs, links laten liggen om terug te keren in de schoot van het gezin, de "tempel van de wijn".
In dezelfde geest verklaart Frédéric Pasy tijdens een congres: "Wilt u voorkomen dat hele volksstammen door de alcohol worden opgevreten? Geef ze dan wijn, natuurlijke en gezonde wijn!"
Reclameaffiches van die tijd verkondigen "wijn is gezondheid", met op

de achtergrond ter goedkeuring het zegel van de medische faculteit. Ook de grote Pasteur levert zijn bijdrage aan deze promotiecampagne door zonder enige terughoudendheid te zeggen dat wijn "de gezondste en zuiverste drank" is. Dit weerhield hem er echter niet van de anti-alcoholverenigingen te steunen in hun strijd. Maar die richtten zich voornamelijk op gedestilleerd, met name absinth; de verwoestingen die deze aanrichtte kunnen we nalezen in 'l'Assommoir' ('De Kroeg') van Zola.

DE 20STE EEUW

Parallel aan de ontwikkeling van deze anti-alcoholstroming, die tot op de huidige dag zo'n sterke invloed heeft (zie HOOFDSTUK 10), behield wijn in de loop van de 20ste eeuw de actieve ondersteuning van vooraanstaande leden van de medische stand.
In 1904 betuigde dr. Gauthier, lid van het Institut en de Académie de Médecine, zijn instemming met een gematigd wijngebruik. "Wijn is een kostbaar voedingsmiddel, voor zover we de dosis van 1 gram alcohol per kilo lichaamsgewicht per dag niet overschrijden." Dat is dus 1 liter wijn voor iemand van 80 kilo.
In verscheidene medische proefschriften wordt hoog opgegeven van de geneeskrachtige werking van wijn vanwege het magnesium-, lithium-, zink- en ijzergehalte.
In 1930 slagen dr. Cuvier en prof. Perrot (houder van de leerstoel aan de faculteit der geneeskunde te Parijs) erin de wijnstok te laten erkennen als medicinale plant.

In 1931 roept de politicus André Tardieu het 'Comité national de propagande pour le vin' in het leven voor de uitgifte van lesmateriaal voor gebruik op school waarin onder andere te lezen staat: "Een liter wijn van 1° komt overeen met het eten van 900 gram melk, 370 gram brood of 5 eieren"!

In 1934 tijdens het 2de nationale congres van medici annex vrienden van de Franse wijn te Béziers presenteerde dr. Eyland zijn 'Codex Oenothérapeutique' voor de medicinale toepassing van uitsluitend bordeauxwijnen (zie Bijlage 9).
Uitgaande van deze (voor onze tijd ongeloofwaardig) uitputtende lijst met medische aanwijzingen wordt gepreciseerd dat "alle bordeauxwijnen op de gebruikelijke manieren" toegepast kunnen worden.

Deze zijn:

- *oraal*; het meest gebruikelijk;
- *rectaal* door middel van een lavement (aanbevolen door prof. Aran, prof. Foussagrives en dr. Houssay);
- in *baden* (aanbevolen door dr. Simon en prof. Lereboullet);
- *intraveneus*, in zuivere of verdunde vorm. Dit levert geen enkel gevaar mits men de 0,1 cm^3 per kilo lichaamsgewicht niet overschrijdt, wat overeenkomt met een injectie van 8 cc op 80 kilo.

In 1935 wordt dr. Dougnac de drijvende kracht achter de 'vinothérapie' die ingezet werd als tegenweer tegen alcoholisme. Aan de hand van cijfermateriaal toont hij aan dat in de wijnbouwstreken minder alcoholisme voorkomt (wat in 1996 nog altijd het geval is) en dat de gemiddelde levensduur in Bordeaux en omstreken hoger is dan in de andere Franse regio's. In 1936 publiceert de wijnhandel Nicolas een boekje met de titel 'Mon docteur le vin', met een aantal voor wijn gunstige uitspraken van medische kopstukken.

Na de Tweede Wereldoorlog krijgt de allopatische geneeskunde door de vooruitgang van de wetenschappelijke research geleidelijk de beschikking over een arsenaal aan chemische geneesmiddelen, waardoor de 'natuurlijke' geneesmiddelen en remedies van het verleden al gauw naar de achtergrond worden gedrongen. Voortaan is het kleine pilletje dat al bij de eerste symptomen van een ziekte genezing biedt, alleenheerser.

Daarbij raakt het denkbeeld van *preventie* ter handhaving van de gezondheid, waarin wijn als medicijn zo goed paste, allengs in onbruik.

De verenigingen ter bestrijding van alcohol profiteerden daarvan en vergrootten hun werkterrein met de 'alcoholisering' van wijn.
Ze wisten ook de politiek voor hun karretje te spannen. Bij stemmingen over wetsvoorstellen ter bestrijding van het alcoholisme werd de wereld van de wijnbouw de mond gesnoerd en kwam de verdenking indirect ook op wijn te liggen. En dat alles op een moment dat Amerika de wereld overspoelt met coca-cola, pepsi-cola en andere frisdranken op basis van suiker en kunstmatig koolzuurgas.

In 1975 werden de laatste medicinale wijnen officieel geschrapt uit de Codex van het apothekershandboek. Sindsdien zijn wetenschappers, onderzoekers en artsen als het ware half ondergronds blijven studeren op de geneeskrachtige eigenschappen van wijn.
In de 19de eeuw bevestigden wetenschappers als Pasteur door middel van empirisch onderzoek en observatie, maar ook door intuïtie en uit persoonlijke overtuiging al dat wijn goed was voor de gezondheid.
De artsen van nu kunnen zich voortaan beroepen op echt wetenschappelijk onderzoek. Daaruit blijkt zonneklaar dat wijn een medicijn is.
Zo schreef dr. Maury in 1978 'Soignez vous par le vin' dat in 1988 gevolgd werd door 'La médecine par le vin'. Dr. Baspeyras schreef in 1986 'Le vin médecin' en de moleculair bioloog dr. Tran Ky analyseerde de geneeskrachtige eigenschappen van champagne, bordeaux- en bourgognewijnen.
Zij zijn de wegbereiders van de belangrijke onderzoekingen van de afgelopen jaren van prof. Masquelier en prof. Renaud, die de basis zouden leggen voor de tegenwoordig zo beroemde 'Franse Paradox'.

Wijn, de beste bescherming tegen hart- en vaatziekten

DE FRANSE PARADOX

Terwijl in veel landen de mensen nog altijd van honger omkomen of lijden aan ondervoeding, valt de bevolking van de geïndustrialiseerde, 'ontwikkelde' landen met hun overvloed aan voeding ten prooi aan zogenaamde beschavingsziekten. Iedere dag worden we er ons steeds een beetje meer van bewust dat deze ernstige gezondheidsproblemen te wijten zijn aan de slechte eetgewoontes die wij westerlingen sedert een halve eeuw ontwikkeld hebben.

In de ontwikkelde landen is de voornaamste doodsoorzaak gelegen in ziekten van hart en bloedvaten. Tweederde van de sterfgevallen in Amerika komt op hun conto. Deze hart- en vaataandoeningen zijn vaak nauw verbonden met andere ziekten, zoals suikerziekte, vetzucht of hoge bloeddruk, en gaan meestal samen met specifieke beschadigingen van de vaatwanden, waarop zich vet vastzet, het atheroom.
Deze vetdepots die gevormd worden door LDL-cholesterol ('slecht' cholesterol) vernauwen de bloedvaten die beschadigd worden, en verharden: dit wordt aderverkalking (arteriosclerose) genoemd.

Het bloed heeft bovendien de neiging dikker te worden waardoor er klonters ontstaan die een ader kunnen verstoppen.
Afhankelijk van waar zo'n verstopping zich bevindt zien we verschillende ziekte beelden ontstaan: een *hartinfarct* ten gevolge van een verstopping van de kransslagaderen, die het hart van bloed voorzien, een *herseninfarct, aderontstekingen in de benen* of een *trombose van de netvliesader* in het oog.

Al enkele tientallen jaren worden met name de Verenigde Staten getroffen door een hoge sterfte aan hart- en vaatziekten. Zo werden in 1990 1,5 miljoen Amerikanen het slachtoffer van een hartinfarct; eenderde van hen stierf aan de gevolgen daarvan. Geconfronteerd met deze slachting onder volwassenen die nog in de kracht van hun leven waren - want het ging om personen van onder de 60 - moest het machtigste land ter wereld wel reageren.
Ze besloten ook naar andere ontwikkelde landen te kijken en hun sterftecijfers te analyseren, om te zien of de situatie daar misschien anders lag dan bij hen.
Een door prof. Ducimetière geleid onderzoek in 1980 onder 7000 mannen bracht grote verschillen tussen de westerse landen aan het licht. Het wees met name uit dat in Frankrijk het sterftecijfer van hart- en vaatziekten 36% tot 56% lager lag dan in de Verenigde Staten. Wat nog het meest verbazing wekte was het feit dat dit verschil even groot was bij een wederzijdse vergelijking van personen met dezelfde leeftijd en identieke risicofactoren (bloeddruk, cholesterolgehalte, consumptie van verzadigd vet, roken).

Zo kwamen de wetenschappers erachter dat Fransen, die evenveel vet aten als de Amerikanen en een even hoog, zo niet hoger cholesterolgehalte hadden, veel minder vaak aan een hartinfarct stierven.
De ‘Franse Paradox’ was geboren!

De amerikaanse wetenschappers, die al jaren als bijna paranoïde bezetenen jacht maakten op cholesterol en vetten in de voeding, stonden

ineens voor een raadsel. In 1990 werden deze gegevens door de statistieken van de WHO (wereldgezondheidsorganisatie) bevestigd:

***sterftecijfer per 100.000 mannen** (gecorrigeerd naar leeftijd)*			
land	**sterftecijfer hart- en vaatziekten**	**gem. cholesterol-gehalte**	**percentage vetten**
USA	240	2,09	46
Frankrijk	91	2,33	45

Het grote statistische onderzoek MONICA (MONitoring CArdiovascular diseases) dat in 1981 door de WHO in 40 observatiecentra over 20 verschillende landen werd opgezet, gaf een meer gedetailleerd beeld van de situatie in Europa.

stad	**land**	**sterftecijfer hart- en vaatziekten**	**overall-sterftecijfer**
Glasgow	UK	380	1179
Lille	Fr	105	1041
Straatsburg	Fr	102	887
Toulouse	Fr	78	575

Hieruit kunnen we zien dat de 'Franse Paradox' een versimpelde benaming is; er is eerder sprake van een noord-zuidgradiënt.

In Noord-Frankrijk benadert het sterftecijfer van hart- en vaatziekten dat van de Angelsaksische landen. Pas bij de stad Toulouse in het zuiden is er werkelijk een lager sterftecijfer.

Dankzij de epidemiologie is het ons mogelijk deze 'paradox' juist te interpreteren. Deze tak van wetenschap onderzoekt de oorzaken en factoren die kunnen leiden tot een bepaalde ziekte of juist een preventieve werking hebben.

De aard van de voeding bleek onbetwistbaar verschil te maken.
Analyse van de epidemiologische gegevens leidt tot vier conclusies:

1. De sterfte aan hart- en vaatziekten houdt gelijke tred met de consumptie van verzadigde vetten en verse melkproducten.

Uit de grafiek van Bijlage 1 valt duidelijk af te lezen dat het sterftecijfer in de noordelijke landen, waar meer verzadigd vet gegeten wordt en meer melk gedronken wordt, hoog is. Het tegenovergestelde is het geval voor Japan, waar veel vis (meervoudig onverzadigde vetten) gegeten wordt, en voor de latijnse landen aan de Middellandse zee, waar veel olijfolie (enkelvoudig onverzadigde vetten) en weinig of geen melk gebruikt wordt.

2. Belangrijk is verder dat de consumptie van kaas, toch een product met verzadigde vetten, geen enkele invloed heeft.
Tegenwoordig kennen we de verklaring daarvoor: de vetten in kaas worden niet allemaal geabsorbeerd door de darmen, omdat ze met calcium zogenaamde 'zepen' vormen die met de ontlasting uitgescheiden worden. Vandaar dat de Fransen die veel kaas gebruiken, op zo'n mooie plaats staan (zie Bijlage 2)

3. Het sterftecijfer van hart- en vaatziekten is omgekeerd evenredig met de consumptie van fruit, groente en plantaardig vet, uitgezonderd palmolie (zie Bijlage 3).

4. Het sterftecijfer van hart- en vaatziekten is omgekeerd evenredig met de consumptie van alcohol (Bijlage 4.2). Deze omgekeerd evenredigheid is echter het meest uitgesproken als we wijn bekijken. In andere woorden, hoe meer wijn we gebruiken, hoe kleiner het risico van hart- en vaatziekten. De grafieken (zie Bijlage 4) tonen zeer duidelijk dat in wijn drinkende landen, zoals Frankrijk, Griekenland, Italië en Spanje, dit sterftecijfer het laagst is. Daarentegen zien we bij de Angelsaksische en met name de Skandinavische landen een risicofactor die 3 en zelfs 4 keer hoger is, zoals in Finland.

Verder is het interessant te zien dat de wijncurve niet lineair maar exponentieel is: hoe lager de consumptie van wijn, hoe meer het risico van hart- en vaatziekten versterkt wordt.

Van deze 4 factoren (verzadigd vet, melkproducten, fruit en groente, wijn) is de consumptie van wijn bepalend voor de 'Franse Paradox'.

Deze conclusie lanceerde prof. Renaud in een artikel van 1992 in de 'Lancet', een van de meest vooraanstaande medische vakbladen.
Op 17 november 1991 had hij al een voorproefje van zijn conclusies gegeven tijdens een Amerikaanse televisieuitzending ('Sixty Minutes' van de CBS). Dit programma sloeg in als een bom bij de Amerikanen, die sindsdien veel meer wijn zijn gaan drinken.

Het voorkomen van hart- en vaatziekten door een aangepaste voeding beperkt zich echter niet uitsluitend tot het drinken van een beetje wijn. Als we de eetgewoontes van een drietal Franse steden met elkaar vergelijken, constateren we ook verschillen die te maken hebben met voorkeuren in het gebruik van andere voedingsmiddelen.

eetgewoontes van de 3 Franse MONICA centra (in gram/dag)			
voedsel	**Straatsburg**	**Toulouse**	**Lille**
brood	164	225	152
groente	217	306	212
fruit	149	238	160
boter	22	13	20
kaas	34	51	42
plant. vet	16	20	15
wijn	286	383	267

In Toulouse wordt minder boter gebruikt, en meer groente, fruit en vooral wijn.
In noordelijke streken (met name de Angelsaksische) wordt de voorkeur gegeven aan boter en aardappelen, en wordt er meer bier gedronken.
In de streken rond de Middellandse zee gebruiken ze bij voorkeur olijfolie, fruit, groente en peulvruchten (witte bonen, linzen) en drinken ze liever wijn.
Als we naar het sterftecijfer (per 100.000 inwoners) in de mediterrane wereld kijken en dit vergelijken met dat van de Verenigde Staten, zijn de verschillen frappant:

land	sterftecijfer hart- en vaatziekten	overall-sterftecijfer
USA	424	961
Italië	200	1092
Kreta	9	627

Kretenzers blijken niet alleen de laagste sterfte aan hart- en vaatziekten ter wereld hebben, maar ook de hoogste levensverwachting.
We zouden dus eigenlijk in plaats van over de 'Franse Paradox' beter over de 'Kretenzische Paradox', of meer uitgebreid over de 'Mediterrane Paradox' moeten spreken.
De verschillen tussen Kreta en de Verenigde Staten zijn dan ook groot:

Wat zijn hun eetgewoontes?

voedsel (g/d)	Kreta	USA
brood	380	97
bonen, linzen	30	1
groente	191	171
fruit	464	233
vlees	35	273
vis	18	3
toegevoegd vet	95	33
alcohol/wijn	15	6

ALCOHOL EN GEZONDHEID

Er zijn dus meerdere voedingsfactoren die een verminderd risico van hart- en vaatziekten kunnen verklaren. Het enige 'voedsel' waarvan de positieve invloed aangetoond is, is alcohol en met name wijn. Alle onderzoekingen op dit gebied bevestigen dit.
Ze wijzen uit dat matig wijngebruik, 1 tot 4 glazen per dag, het sterftecijfer van hart- en vaatziekten met 15% tot 60% omlaag brengt ten opzichte van dat van de niet-gebruikers. Bij een hoger wijngebruik wordt de bescherming weer minder.

Deze bescherming wordt in de statistieken uitgedrukt door een J- of U-curve. Op het laagste niveau van de curve, dus daar waar het sterftecijfer het laagst is, ligt de gemiddelde wijnconsumptie tussen de 24 g en 34 g alcohol per dag (1 glas wijn van 10 cc = 10 gram alcohol). Daarentegen ligt het sterftecijfer van hart- en vaatziekten hoger bij personen die niets dan wel te veel drinken (meer dan 40 g alcohol per dag). Hieruit leidde prof. Renaud af dat 76% van de sterfte aan hart- en vaatziekten te wijten zou zijn aan het niet drinken van wijn.

Dat alcohol en met name wijn heilzaam is voor het hart en vaatstelsel, was al lange tijd bekend, maar de meeste artsen voelden er niets voor dit toe te geven, bang als ze waren beschuldigd te worden van het aanzetten tot alcoholisme.

Al in 1951 schreef prof. White, een Amerikaans hartchirurg van naam, dat alcohol op enkele stikstofderivaten (trinitrine) na een van de beste geneesmiddelen is voor het hart.
Onderzoek van dr. Saint-Léger in 1979 toonde aan dat de risicofactor van hart- en vaatziekten voor wijn drinkende mannen 0,7 en voor dito vrouwen 0,61 was (risicofactor 1 voor water drinkers).

Uit een groot opgezet onderzoek van Bofetta en Garfinkel (1990) is nauwkeurig af te lezen dat niet alleen de sterftecijfers van hart- en vaatziekten, maar ook het totaal aantal sterfgevallen varieert met de consumptie van wijn (zie Bijlage 5.1).

wijnconsumptie *(glas/dag)*	overall-sterftecijfer	sterftecijfer hart- en vaatziekten
1	0,84	0,79
2	0,93	0,80
3	1,02	0,83
4	1,08	0,74
5	1,22	0,85
6	1,38	0,92
gelegenheidsdrinker	0,88	0,86
niet-drinker	1	1

Naar Bofetta (1990)
Bij dit onderzoek werd de risicofactor van de niet-gebruiker op 1 gesteld. Als wijnconsumptie het getal 0,83 oplevert, wil dit zeggen dat het risico met 17% is gedaald. Daarentegen correspondeert een getal van 1,36 met een verhoging van het risico met 36%.
Uit de tabel blijkt duidelijk dat bij een gebruik van 2 tot 3 glazen wijn per dag de risicofactor van hart- en vaatziekten lager is zonder dat de overall-risicofactor stijgt.
Het minste risico ligt bij de consumptie van 4 glazen wijn per dag (26% lager dan bij de water drinker), maar daarbij wordt de overall-risicofactor 8% hoger.
Het verlaagde risico bij 5 glazen is 15%, maar daar staat wel een verhoging van het overall-risico tegenover van 22%, wat natuurlijk ongewenst is.

De bescherming van de gezondheid die wijn biedt, is groter als we niet roken. De Framingham-studie heeft uitgewezen dat 28 op de 100.000 rokende niet-gebruikers stierven aan een hartinfarct tegen 5,7 niet-rokers die 3 tot 7 glazen wijn per dag gebruikten.

Vrouwen lopen minder risico hart- en vaatziekten te krijgen dan mannen, omdat ze met name vòòr de menopauze beschermd worden door hun hormonen.
Een Amerikaans onderzoek (Fush) te Boston onder 65.700 vrouwen tussen de 34 en de 65 jaar resulteerde in de volgende risicofactoren:

Risico van hart- en vaatziekten bij vrouwen

wijnconsumptie *(glas/dag)*	**risicofactor**
niet-drinker	1
1-2	0,83
3	0,88
4	1,19

Boven een consumptie van 3,5 glas per dag biedt wijn vrouwen geen bescherming meer tegen hart- en vaatziekten.
In de epidemiologie is een correlatie nog geen formeel bewijs voor een werkelijk causaal verband. Zoals Prof. Apfelbaum stelt; "Het feit dat Frankrijk het grootste wagenpark Renaults heeft en het hoogste aantal levercirroses, wil nog niet zeggen dat Renault-rijders een grotere kans op cirroses hebben."
Om de causaliteit van een correlatie te bevestigen moet er een interventieonderzoek met secundaire preventie plaatsvinden.
Bij deze secundaire preventie nemen we een groep individuen (ziek en niet-zieken) die we een nauwkeurig omschreven dieet laten volgen.
Vervolgens gaan we na of dit dieet uiteindelijk een doelmatige preventie bleek te zijn voor met name recidives.
Prof. Renaud onderwierp een aantal personen van de risicogroep hartinfarct-patiënten aan zo'n experiment van secundaire preventie.

De patiënten werden in twee groepen verdeeld.
De ene groep kreeg de 'klassieke' dieetvoorschriften, de andere kreeg voeding van het mediterrane type, met wijn.
Het resultaat van dit onderzoek was zonder meer verbluffend. Prof. Renaud constateerde bij de tweede groep 76% minder recidives van het hartinfarct dan bij de eerste groep. Met geen enkel tot dan toe bekend geneesmiddel waren ooit zulke resultaten behaald.

Lange tijd werd aangenomen dat alle alcoholhoudende dranken dezelfde heilzame werking hadden op hart en bloedvaten. Maar in 1981 toonde prof. Renaud in een proefdieronderzoek aan dat wijn (vooral rode) in vergelijking met andere alcoholhoudende dranken de beste bescherming biedt tegen atheroom.

drank	**verminderde beschadiging aderwand (%)**
bier	-10
whisky	-28
witte wijn	-30
rode wijn	-70

In 1990 vond dr. Saint-Léger bij een vergelijkbaar onderzoek ongeveer dezelfde resultaten:

drank	**verminderde beschadiging aderwand (%)**
whisky	-16
witte wijn	-23
rode wijn	-63

In 1992 publiceerde een onderzoeker uit Californië, Klatsky, de uitkomsten van een 7 jaar durend onderzoek onder 129.000 personen. Ook hij vond dat wijn een bescherming bood die 40% hoger ligt dan die van alle andere alcoholhoudende dranken.

Het laatste onderzoek ten slotte, dat door Gronback in 1995 gepubliceerd werd en betrekking had op 12.000 personen, bevestigde en completeerde de voorgaande onderzoeken:

risico van sterfte aan hart- en vaatziekten
(uitgaande van de factor 1 bij niet-gebruik)

consumptie	bier	wijn	sterke drank
nooit	1	1	1
maandelijks	0,79	0,69	0,95
wekelijks	0,87	0,53	1,08
1-2 gl/dag	0,79	0,47	1,16
3-5 gl/dag	0,72	0,64	1,35

risico van sterfte door andere oorzaken
(uitgaande van de factor 1 bij niet-gebruik)

consumptie	bier	wijn	sterke drank
nooit	1	1	1
maandelijks	0,82	0,86	0,80
wekelijks	1,02	0,75	0,92
1-2 gl/dag	0,96	0,80	1,81
3-5 gl/dag	1,22	0,50	1,86

Dit onderzoek toont heel duidelijk dat bier en sterke drank minder effectief zijn dan wijn in het verlagen van het risico van hart- en vaatziekten.

Uit hetzelfde onderzoek blijkt tevens dat bij meer dan 2 glazen bier per dag de overlijdenskans (aan iets anders dan hart- en vaatziekten) met 22% toeneemt.

Maar behalve de *aard van de drank* is ook de *manier van drinken* van belang. Alcohol drinken bij de maaltijd (zoals in Frankrijk) geeft een betere preventie dan het gebruik als aperitief op de nuchtere maag, zoals de Engelsen en Amerikanen.
Wat we vòòr alles moeten onthouden is: ***de belangrijkste factor in de preventie van hart- en vaatziekten is de consumptiefrequentie, oftewel hoe vaak en hoeveel we per dag drinken.***
Iedere dag met mate wijn drinken, bij voorkeur bij iedere maaltijd, biedt optimale bescherming.
Een alcoholische uitspatting in het weekend, zoals ze dat in Skandinavië graag doen, heeft totaal geen zin. Iets verder, bij de behandeling van de manier waarop wijn op het lichaam inwerkt, zullen we zien wat de verklaring hiervan is.

Conclusie

Gelet op al deze onderzoeken moeten we erkennen dat alcoholhoudende dranken, mits met mate gebruikt, het risico van hart- en vaatziekten aanzienlijk verlagen.
Van deze dranken biedt wijn, en met name rode wijn, de beste garantie.
We bereiken deze resultaten echter alleen als aan drie voorwaarden wordt voldaan:

- We moeten met mate drinken: 1 tot 4 glazen wijn per dag.
- We moeten tijdens de maaltijden drinken.
- We moeten regelmatig drinken, oftewel dagelijks.

Het spreekt vanzelf dat deze aanbevelingen gelden voor gezonde personen, die geen persoonlijke noch familiale voorgeschiedenis hebben van alcoholisme, aan niets anders verslaafd zijn (tabak, drugs) en voor wie alcohol niet verboden is vanwege een gelijktijdige medicijngebruik.

Geen enkele officiële organisatie heeft tot nu toe formeel willen instaan voor dit soort aanbevelingen die toch voortvloeien uit honderden nauwkeurige en serieuze onderzoekingen in de meeste westerse landen.

De wereldgezondheidsorganisatie zit er zeer mee in haar maag, hoe kan het ook anders. Deze door de UNO in het leven geroepen organisatie heeft als taak op zo objectief mogelijke wijze onderzoek te doen naar en aanbevelingen te doen over iedere medische maatregel die de gezondheid van alle wereldburgers zou kunnen bevorderen.
Bij diverse gelegenheden hebben haar vertegenwoordigers verklaard ieder bericht ten gunste van matig wijngebruik te hebben weerhouden. Ze achten het risico van 'uitglijders' veel groter dan het berekende voordeel voor de gezondheid.De WHO en de Académie de Médecine in Frankrijk laten het dus aan de artsen over hoe ze met deze berichten omgaan.

Voor degenen die beroepsmatig met wijn te maken hebben, is het een buitenkansje zich voortaan te kunnen beroepen op authentiek wetenschappelijk onderzoek en dito artikelen, zodat ze met een goed geweten hun handel tot bloei kunnen brengen.In hun reclame zijn ze hierin overigens terughoudend, en dat lijkt in deze ook in hun eigen belang.

WAAROM IS WIJN GOED VOOR UW HART EN BLOEDVATEN?

Behalve ethylalcohol waarvan we zojuist de heilzame werking bij de preventie van hart- en vaatziekten gezien hebben, bevat wijn zo'n 800 andere substanties waarvan nog maar een klein deel nauwkeurig onderzocht is.
We zullen nu een aantal daarvan met alle tot nu toe ontdekte eigenschappen voor onze gezondheid bespreken, in de wetenschap dat deze in de toekomst zeker nog aangevuld zullen worden met nieuwe ontdekkingen.
We komen eerst terug op de *preventieve werking van wijn op hart- en vaatziekten*, om een beter zicht te krijgen op de mechanismen die hierin een rol spelen. Vervolgens laten we de preventieve en geneeskrachtige effecten van wijn *op andere terreinen van de gezondheid* de revue passeren.

Alcohol

Ethylalcohol is niet het enige bestanddeel dat positieve effecten heeft bij de preventie van hart- en vaatziekten. Was dit wel zo, dan zouden alle alcoholhoudende dranken dezelfde eigenschap hebben. Maar er zitten ook andere stoffen in wijn, zoals polyfenolen, glycerol, oplosbare vezels en aspirine, die deze drank zonder meer tot het beste medicijn tegen hart- en vaatziekten maken.

Het alcoholgehalte van wijn

Wijn bevat ongeveer 80 gram alcohol per liter.
Als we ervan uitgaan dat er 8 glazen in een liter gaan, bevat één glas dus 10 gram. Maar dit hangt wel af van het alcoholgehalte:

Wijn van 9° = 75 gram alcohol/liter
wijn van 10° = 80 g/l
wijn van 11° = 88 g/l
wijn van 12° = 96 g/l

De alcoholgraad van wijn is zoals we weten afhankelijk van het suikergehalte van de druiven of van de verrijking met suiker door chaptalisatie.

Alcohol werkt op twee manieren op het lichaam in, enerzijds op het *bloed* en anderzijds op de *bloedvaten* dus zowel op de inhoud als op de verpakking.

De invloed van alcohol op het bloed

De invloed van alcohol op de vetten in het bloed

Het atheroom (degeneratie van het weefsel aan de binnenkant van de aderen, wat kan leiden tot hart- en vaataandieningen) wordt in de hand gewerkt door volgende factoren:

- een te hoog gehalte aan LDL-cholesterol (slechte cholesterol);
- een te laag gehalte aan HDL-cholesterol (goede cholesterol);
- een hoog gehalte aan a-lipoproteïne;
- een hoog gehalte aan triglyceriden.

Alcohol en LDL-cholesterol

Het LDL-cholesterolgehalte neemt schrikbarend toe bij massaal gebruik van alcohol, zoals het geval is bij gelegenheidsdrinkers die ineens veel tot zich nemen. Deze manier van drinken komt zeer veel

voor onder Engelsen en Amerikanen, en ook in de Skandinavische landen waar mensen zich tijdens het weekend of een uitstapje graag bedrinken.Daarentegen zien we bij de regelmatige en matige drinker een lichte daling van het LDL-cholesterolgehalte.
Onderzoek heeft uitgewezen dat bij mannen tussen de 30 en 47 jaar die dagelijks een fles wijn (75 cl) drinken, het LDL-cholesterolgehalte daalt van 1,41 g/l bij algehele onthouding naar 1,19 g/l.

Ook hier is alles weer een kwestie van dosering. Te veel alcohol (meer dan 60 gram per dag) doet vrije radicalen ontstaan die het LDL-cholesterol oxyderen; geoxydeerd LDL is buitengewoon atherogeen.

Ook weer een reden om dagelijks met mate te drinken. Alleen onder deze voorwaarde vermijden we de vorming van vrije radicalen en kunnen we profiteren van de antioxyderende werking van de polyfenolen.

Alcohol en HDL-cholesterol

Voor een beter begrip van deze wisselwerking moeten we weten dat HDL-cholesterol in twee vormen voorkomt:

- HDL2, dat bescherming biedt tegen hart- en vaatziekten en de bloedvaten ontdoet van hun vetdepots.

- HDL3, dat geen bijzondere preventieve werking heeft.

Het belang van een verhoogd HDL-cholesterolgehalte hangt dus af van de hoeveelheid HDL2.

Lange tijd kwamen de specialisten met aanbevelingen die verschilden wat betreft het effect van alcohol op deze twee vormen van HDL. Recent onderzoek gaf onderstaande resultaten en heeft weer rust in de gelederen gebracht.

Invloed van alcohol in wijn op HDL-cholesterol			
alcohol consumptie *(gr/dag)*	**aantal glazen wijn**	**invloed op HDL**	**effectiviteit**
< 40	1-3	kleine verhoging HDL2 duidelijk verhoging HDL3	zwak
60-80	6-8	duidelijk verhoging HDL2 kleine verhoging HDL3	sterk
> 85	> 9	geen verhoging HDL2 geen verhoging HDL3	geen

Uit deze tabel blijkt dat pas bij 6 tot 8 glazen wijn per dag de gunstige situatie optreedt van een verhoging van het HDL2-cholesterolgehalte, en dus van de beschermende werking op hart en bloedvaten.

Bij niet-rokende mannen tussen de 30 en de 47 jaar zien we het volgende verband tussen het HDL-cholesterolgehalte en de consumptie van wijn:

consumptie	**totaal HDL** *(mg/l)*	**HDL2**	**HDL3**
geen wijn	43,4	5,7	37,7
75 cl wijn/dag	49,4 (+14%)	10,4 (+82%)	39,0

Hierbij moeten we wel aantekenen dat deze gunstige verhoging van het HDL-cholesterolgehalte alleen plaats heeft bij een normaal functionerende lever (geen cirrose of hepatitis).

Bovendien werkt deze verhoging doeltreffender bij slanke dan bij dikke en met name vetzuchtige mannen; bij vrouwen is de verhoging minder groot.

We herinneren er u nog eens aan -misschien ten overvloede, want velen zullen het al wel begrepen hebben- dat de gunstige werking van wijn op het HDL-cholesterol zich pas manifesteert als we dagelijks wijn gebruiken.
Met andere woorden, een en ander gaat helemaal niet op voor hen die om hun geweten te sussen maar af en toe wijn drinken. Iets verder zullen we zelfs zien dat zo'n manier van drinken (alleen in het weekend bijvoorbeeld) funest kan zijn.
Het onderzoek van Ridker (1990) laat goed zien hoe belangrijk dit dagelijks gebruik is.

wijnconsumptie	**HDL-cholesterol** *(mg/l)*
zelden of nooit	44
maandelijks	43
wekelijks	46
dagelijks	50 (+13,5% tegenover geheelonthouding)

Hierbij moet wel aangetekend worden dat er grote verschillen zijn in de verhoging van het HDL-cholesterolgehalte. Eenzelfde dosis alcohol geeft afhankelijk van het individu in kwestie een verhoging van 14% tot 72%.

De verklaring hiervoor is gelegen in de invloed van andere parameters op het HDL-cholesterolgehalte: de graad van hyperinsulinemie, hoe-

veelheid en aard van het lichaamsvet, hoeveelheid lichaamsbeweging en erfelijkheidsfactoren.

Er zijn mensen die 'goed' en mensen die 'slecht' reageren op alcohol. Recent onderzoek schijnt uit te wijzen dat de oorzaak hiervan in de erfelijke factoren gezocht moet worden (zie kader).

Erfelijke aanleg en de invloed van alcohol op het HDL-cholesterol

Het gen dat de invloed van alcohol op HDL-cholesterol codeert, heeft 2 allelen, B1 en B2. Alleen bij personen met het allele B2 kan het HDL-cholesterolgehalte verhoogd worden.

Dit verschil wordt als volgt verklaard. De afzetting van vet in de slagaderen wordt bewerkstelligd door een eiwit dat het cholesterol van het HDL-cholesterol verplaatst naar het LDL-cholesterol. Personen met het allele B2 hebben een verlaagd gehalte van dit eiwit CETP (Cholesterol Ester Transfer Protein). Daarom wordt het LDL-cholesterol gehalte minder verhoogd en wordt een hoger HDL-cholesterol gehalte gehandhaafd.

Over het algemeen wordt aangenomen dat de invloed van alcohol op HDL- en LDL-cholesterol slechts de helft van het beschermende effect van wijn op hart en bloedvaten verklaart.

Alcohol en a-lipoproteïne

Lipoproteïne is een op zichzelf staande atherogene factor, die het risico van arteriosclerose met zich meebrengt. Onderzoek heeft aangetoond dat rode wijn het gehalte omlaag brengt, terwijl witte wijn het alleen maar minder doet stijgen.

Alcohol en triglyceriden

Hypertriglyceridemie wordt tegenwoordig gezien als een serieuze risicofactor van hart- en vaatziekten, onafhankelijk van het cholesterolgehalte.

Overmatige alcoholconsumptie kan een hoog triglyceridengehalte van het bloed veroorzaken (hoger dan 15 g/l). Bij sommige mensen, die overgevoelig zijn voor alcohol, is zelfs een redelijke consumptie van 3 glazen per dag genoeg om dit gehalte op kritieke hoogte te houden. Meestal echter is een abnormaal hoog triglyceridengehalte te wijten aan de overmatige consumptie van suikerwaren; weinig of niets snoepen is dan vaak al voldoende om het probleem uit de wereld te helpen. Soms is een overmaat aan triglyceriden ook te verklaren uit ouderdomssuikerziekte, overgewicht (en vetzucht) en medicijngebruik; wanneer deze factoren verdwijnen, zal ook het triglyceridengehalte dalen.

De invloed van alcohol op insuline

Een te hoog insulinegehalte (hyperinsulinemie) of een stoornis in de insulinehuishouding (insulineresistentie) zijn twee risicofactoren van hart- en vaatziekten.

Gebleken is dat kleine hoeveelheden alcohol hyperinsulinemie verlagen en de cellen gevoeliger maken voor insuline. Dit vermindert dus het risico van hart- en vaatziekten.

De invloed van alcohol op hormonen

Bij de vrouw in de menopauze neemt de kans op hart- en vaatziekten toe door de daling van het oestrogeengehalte in het bloed.

Alcohol in wijn verhoogt dit gehalte door de aanmaak van oestrogenen in de eierstokken te stimuleren.

Waarom zouden we in zulke gevallen onze toevlucht nemen tot farmaceutica, terwijl we met 1 of 2 glazen wijn hetzelfde kunnen bereiken?

De invloed van alcohol op bloedklontering

Door 'te dik' bloed, met een te hoge viscositeit, zullen veel eerder stol-

sels ontstaan die een slagader kunnen verstoppen (trombose). Alcohol maakt het bloed 'vloeibaarder', dunner.
Drie mechanismen spelen hierin een rol:

- Volgens prof. Renaud is er *minder klontering van de bloedplaatjes.* Door teveel klontering kunnen stolsels ontstaan in een ader, die dan nauwer wordt onder vorming van een atheroom.
De klontering van de bloedplaatjes daalt met 70% als we wijn drinken in plaats van water. Epidemiologisch onderzoek wijst uit dat de 'klonterfactor' bij de inwoners van Var (Zuid-Frankrijk) 55% lager ligt dan die van de Schotten.

alcoholconsumptie *(gr/dag)*	**is gelijk aan glazen wijn per dag**	**klontering bloedplaatjes**
1-5	0,5	0,74
5-30	0,5 - 3	0,56
> 30	> 3	0,35

De daling van deze klonterfactor is beduidend groter bij eters van veel vet, met name van verzadigde vetten.
Wijn drinken bij een maaltijd met veel verzadigde vetten is dus niet alleen een genoegen, het is een 'must' om de schadelijke vetaanslag op de vaatwanden in de uren na de maaltijd tegen te gaan. Ongetwijfeld weer een verklaring voor de 'Franse Paradox'!
Te meer omdat cola bij een vetrijk maal (hamburgers) de situatie alleen maar verslechtert. Bravo MacDonald!

- Een tweede mechanisme dat het bloed verdunt, is de werking van alcohol op het *fibrinogeen*, een stof die ook een rol speelt bij de vorming van bloedstolsels. Dit mag misschien bescheiden lijken, maar een verlaging van het fibrinogeen met 1% verlaagt de kans op hart- en vaatziekten met 4%.

- De vloeibaarheid van het bloed wordt ten slotte ook nog verhoogd door de vorming van een stof die een eventueel stolsel helpt oplossen: de *plasminogeenactivator* (TPA). Wijn drinken verhoogt de productie van TPA.

wijnconsumptie	**TPA-gehalte** *(nanogram/ml)*
zelden of nooit	8,12
1-3 glazen/maand	9,06
1-6 glazen/week	9,69
2 glazen/dag of meer	10,89

Deze gunstige effecten van alcohol op de bloedklontering zijn blijvend, ook buiten de uren dat we wijn nuttigen, mits we dat elke dag doen.

Door maar af en toe te drinken, en dan vooral op een buitensporige manier (in het weekend), wordt het vermogen van de bloedplaatjes om samen te klonteren zo bruusk verminderd dat dit in- en uitwendige bloedingen tot gevolg kan hebben.

Maar de ernstigste problemen doen zich voor op de dag(en) na zo'n alcoholische uitspatting. Want door plotseling van een te grote alcoholconsumptie over te stappen op helemaal niets kan er een soort tegenreactie optreden, waarbij het bloed abrupt dikker wordt, meer gaat klonteren en stolsels gaat vormen.

Daarom benadrukken we dat het beter is elke dag te drinken en niet zo nu en dan.

Gelegenheids-drinken, zoals op een feest of in de weekends (in Scandinavië is het de gewoonste zaak van de wereld zo veel te sterke drank drinken tot ze erbij neervallen) is buitengewoon gevaarlijk.
's Maandags staat de feestneus droog en drinkt water, of melk, zoals de Engelsen.
Het risico van een acute hart- of vaataandoening is dan niet denkbeeldig, zelfs erg groot. Dit blijkt ook uit de statistieken die wijzen op een grotere frequentie van dit soort hartinfarcten aan het begin van de week.

Dit moet dus die Fransen alarmeren die voor hun goede geweten de gewoonte hebben aangenomen water te drinken bij hun doordeweekse maaltijden. En omdat ze zich al de hele week onthouden hebben van drank vinden ze het niet meer dan terecht dat ze het in het weekend of bij een uitje op een zuipen mogen zetten.
Als we tegenwoordig in Frankrijk een goed restaurant binnenstappen, moeten we helaas constateren dat zakendiners voortaan rijkelijk besproeid zijn met mineraalwater.
Juist managers die de hele week op een droogje gezeten hebben laten zich in het weekend ongeneerd vollopen met wijn en sterke drank, op gevaar af 's maandagsmorgens in een ziekenwagen wakker te worden.

De invloed van alcohol op de bloedvaten

Alcohol verwijdt de kransslagaderen met als gevolg een betere doorbloeding van het hart waardoor hartischemie (stagnerende bloedsomloop) voorkomen wordt. Alcohol blokkeert tevens de contractierespons van de aderen, zoals spasmen ten gevolge van stress.

Polyfenolen

Dit zijn antoxydanten die vooral in wijn zitten.

Classificatie

Classificatie is moeilijk. Ze is nogal eens gewijzigd, omdat de onderzoekers het niet altijd eens waren over de te hanteren terminologie. Zonder al te diep op overwegingen van biochemische aard in te gaan, kunnen we 5 soorten polyfenolen onderscheiden:

- flavonoïden;
- anthocyanen, waaronder de tanninen;
- flavanolen;
- resveratrolen;
- fenolzuren.

Polyfenolen zitten al in de druif (ongeveer 60% in de pitten en iets meer dan 20% in de velletjes).

Bescherming van de haarvaten

De polyfenolen in wijn verdubbelen de weerstand van de haarvaten, wat het risico van bloedingen met een zelfde factor verkleint.

Er bestaat ook een medicijn tegen bloedingen (Endothelon) op basis van synthetische polyfenolen.

Bescherming van het collageen

Een atheroom vormt zich sneller wanneer de eiwitten van de vaatwand al beschadigd zijn. De structuur van de eiwitten wordt instandgehouden door collageenvezels die het geheel de nodige sterkte en elasticiteit verlenen. Uit onderzoek van prof. Masquelier komt naar voren dat de polyfenolen in wijn (vooral rode) het collageen versterken en zodoende de kans op een atheroom voorkomen.

Krachtige antioxyderende werking van polyfenolen

Antioxydanten zijn belangrijk omdat ze vrije radicalen afvangen. In het lichaam komen de elektronen in paren voor, op één uitzondering na: zuurstof. Zuurstof is het enige molecuul dat individuele of 'celibataire' elektronen heeft, de zogenaamde vrije radicalen. Zoals alle celibatair levenden, hebben ze slechts één wens: paarvorming. Daarom hechten ze zich graag aan het DNA van de chromosomen en de vetten van de celmembranen die daardoor verslechteren. Ze worden stijf en gaan oxyderen. Deze oxydatie is te vergelijken met de vorming van roest op metaal. Op die manier kan zuurstof, die voor het leven onmisbare substantie, giftig worden.

Er komt een overvloed aan radicalen vrij bij:

- roken;
- ultraviolette straling;
- milieuverontreiniging;
- overmatige lichamelijke inspanning (topsport);
- overmatig alcoholgebruik (alcoholisme).

Vrije radicalen, hebben een dodelijke werking op de cellen, dragen ertoe bij het hart en vaatstelsel te beschadigen en staan aan de wieg van hoge bloeddruk en arteriosclerose. Ze versnellen bovendien het verouderingsproces van de cellen, met name de hersencellen.
Gelukkig beschikt ons lichaam over een slagvaardig afweersysteem in de vorm van legers *antioxyderende enzymen*. Maar met de jaren dunnen de gelederen uit en verschijnen er steeds minder op het appèl.
De voeding moet dus te hulp schieten en ons van de nodige antioxydanten voorzien, zoals bètacaroteen, vitamine C en E, seleen en zink.

Wijn is belangrijk om twee redenen. Ten eerste komen bij matige consumptie geen vrije radicalen vrij. En ten tweede, de belangrijkste, hebben de polyfenolen van wijn een sterk antioxyderende werking op de vrije radicalen, zoals prof. Masquelier heeft aangetoond. Deze antioxy-

derende werking is 50 keer sterker dan die van vitamine E, waarnaar vaak verwezen wordt als hèt antioxydant bij uitstek.

Rode wijn bevat gemiddeld 2500 mg/l polyfenolen, witte wijn 10 keer minder. Prof. Vinson (1995) heeft echter aangetoond dat de polyfenolen van witte wijn wel krachtiger zijn. Witte wijn mag daarom niet zomaar als onbelangrijk worden afgedaan.

Positieve invloed van polyfenolen op de bloedplaatjes

Uit verscheidene onderzoeken (Folts, Renaud, Bertelli 1995) is gebleken dat polyfenolen, net als alcohol, de klontering van bloedplaatjes tegengaan en de eerdergenoemde tegenreactie bij plotseling stoppen met drinken zelfs in lichte mate afzwakt.

De polyfenolconcentratie van wijn

De polyfenolconcentratie van wijn is afhankelijk van de druivenvariëteit, de bereidingswijze van de wijn (manier en duur van macereren) en ook van het jaar van de cru. Rode wijn bevat meer polyfenolen, want deze zitten vooral in de velletjes van blauwe druiven, die tijdens het gistingsproces van rode wijn lang in de most liggen te weken.
Druivensap bevat ook een niet te verwaarlozen gehalte aan polyfenolen, maar hun antioxyderende werking is minder krachtig dan die van wijn. De tijdens de gisting ontstane alcohol is eigenlijk onmisbaar, niet alleen om de polyfenolen hun antioxyderende werking te verlenen, maar ook om hun opname in de darmen te bevorderen.

Aanbevolen wordt om dagelijks 300 tot 400 mg polyfenolen met de voeding binnen te krijgen, wat overeenkomt met 2 glazen wijn.
In andere voedingsstoffen zitten ook polyfenolen, zij het in mindere mate: fruit, groente, cacao, olijfolie, groene thee.

Bier en cider bevatten in eerste instantie ook polyfenolen, maar deze worden door de industrie grotendeels uit het eindproduct verwijderd omwille van de stabiliteit.

Glycerol

Glycerol is een 3-waardige alcohol. De gemiddelde concentratie in wijn is 8 g/l.
Glycerol vermindert een overtollige insulineafscheiding en insulineresistentie. Het verlaagt tevens de kans op spierbeschadigingen in de vaatwanden en dus op atheromen.
Bovendien werkt het indirect vaatverwijdend (vasodilatatie) met verminderd risico van trombose.

Vezels

In wijn zitten oplosbare vezels: pectinen en gommen.
Het gehalte daaraan varieert met de druivenvariëteit; er zit weinig in de syrah en de chenin, en veel in de alicante-bouschet (600-1000 mg/l).
Vezels geven wijnen een mollige karakter.
Vezels verhogen de aanwezigheid van polyfenolen in het bloed en verlagen de darmabsorptie van met name verzadigde vetten; bovendien verlagen ze hyperinsulinemie en insulineresistentie, twee belangrijke factoren van arteriosclerose.

Aspirine

Aspirine wordt in de cardiologie al jaren toegepast als secundair preventiemiddel. Dit geneesmiddel is tot nu toe het meest effectief gebleken om de recidivekans op hartinfarcten en trombose na een bypassoperatie te verlagen (risicofactor 0,79 tegen 1 zonder aspirine toediening).

Aspirine heeft een remmende werking op het klonteren van de bloedplaatjes; bovendien gaat het vaatvernauwing tegen. De voorgeschreven dosis is meestal 160 mg/dag.
Soms kan het ook ernstige stoornissen oproepen: bloedingen, zweren aan de maag en de twaalfvingerige darm, gastritis.

Verscheidene onderzoeken hebben uitgewezen dat witte wijn ongeveer 30 mg/l aspirine bevat en rode wijn iets meer.

Beseft wordt nu dat vanwege deze aanwezigheid van aspirine tesamen met de polyfenolen en de alcohol en hun eveneeens remmende werking op de verdikking van het bloed, wijn een even doeltreffend 'medicijn' is als aspirine, met bovendien veel minder gevaarlijke neveneffecten.

Aspirine heeft nog het nadeel, dat het het alcoholgehalte van het bloed verhoogt. Zo zal iemand die na twee glazen wijn een aspirine neemt, de kans lopen de grens van het maximaal toegestane alcoholgehalte van zijn bloed te overschrijden. Gebruik daarom nooit aspirine na een maaltijd met zelfs maar weinig drank, als u nog moet rijden.

Uit alle onderzoeken komt duidelijk naar voren dat wijn zonder meer geneeskrachtige eigenschappen bezit. Alles wijst op een gunstige werking op hart en bloedvaten bij een dagelijkse consumptie van 2 tot 4 glazen.

Dit geldt natuurlijk voor primaire preventie, maar vooral ook voor de secundaire. In dit laatste geval is wijn een echt medicijn dat net zo effectief, zo niet effectiever, is als andere gewone, op recept te krijgen medicijnen.

HOOFDSTUK 7

De andere goede effecten van wijn

In veel landen lag de laatste jaren de nadruk van het wetenschappelijk onderzoek op de bescherming door wijn van hart en bloedvaten. Dit is te verklaren door de hoge sterftecijfers in deze en door de grote verschillen, tot het viervoudige, tussen landen met een hoge wijnconsumptie en die waar maar weinig of geen wijn wordt gedronken.

Officiële instanties in de medische wereld, en in de gezondheidszorg in het algemeen, zijn zeer huiverig om publiekelijk te stellen dat een matig wijngebruik goed is voor de gezondheid.
Dit gebeurt langzamerhand wèl in de media en daardoor komt wijn uit de verdomhoek, waarin de anti-alcohol beweging haar jarenlang ontelrecht heeft geplaatst.

Wanneer we spreken over wijn als medicijn wordt nog teveel alleen gedacht aan de voornoemde goede invloed op hart en bloedvaten. Deze is inderdaad het meest spectaculair te noemen, maar ook andere goede effecten op de gezondheid zijn in de loop der eeuwen niet aan de aandacht ontsnapt. Mensen als Hippocrates en tweeduizend jaar ná hem, Pasteur, die toch geen van beiden bekend staan als grap-

penmakers, noemden reeds de goede invloed van wijn op andere aspecten van onze gezondheid.

De laatste decennia heeft de wetenschap een aantal bewijzen gevonden, zelfs meer dan we gehoopt hadden, voor wat de Ouden dachten van wijn.

WIJN VOORKOMT INFECTIES

Bacteriedodende werking

Dit is aangetoond door professor MASQUELIEU.

In 50 cl. rode wijn werden 10 miljoen colibacillen ingebracht. Na een half uur werden geen levende bacillen meer gevonden. Onderzoek heeft aangetoond dat dit niet te danken is aan de zuurgraad van de wijn en ook niet aan de aanwezige alcohol, maar aan de anthocyanen en het cinnamine zuur in de wijn.

Gezien de verschillende bestanddelen in wijn kunnen we zelfs aannemen dat het actie-spectrum tamelijk ruim is, en zowel gramneg. (Salmonella, Shigella, Colibacillen, Proteus) als grampos. (Staphylococcen, Streptococcen, Pneumococcen) kiemen omvat.

Omdat witte wijn maar zeer weinig anthocyanen bevat, is de bacteriedodende werking veel minder dan van rode wijn. Bepaalde gastronomische gewoonten blijken daarom weinig gefundeerd. Van oudsher wordt bij schaaldieren en met name bij oesters Muscadet Gros-Plant of Elzasser geadviseerd, o.a. omdat deze witte wijnen een ingewandinfectie van een eventueel bedorven exemplaar zouden voorkomen. Het blijkt nu dat witte wijn daartegen geen afdoende bescherming biedt, behalve wanneer ze in grote hoeveelheden gedronken wordt en daar zijn we geen voorstander van.

Bij schaaldieren is rode wijn veel beter; Loirewijnen als Saumur, Champigny, Bourgeuil, Chinon of Sancerre en Beaujolais-wijnen als Brouilly en Fleury en nog vele andere zijn voldoende voor een dozijn oesters. Veel gastronomen doen dit trouwens al jaren, en van nature.

De bacteriedodende werking van wijn moet vooral preventief worden gezien. We moeten niet denken dat we een septicemie (waarbij bacillen in de bloedbaan geraken) met rode wijn alleen kunnen behandelen; dat is in ieder geval nog nooit bewezen. Daarentegen is wèl aangetoond dat een kleine hoeveelheid wijn in besmet water in de tropen een belangrijke prophylactische werking heeft. Met 50% wijn is zulk water weer zonder gevaar te drinken.

Bepaalde wijnen (zoals Médoc) bevatten veel ijzer. In combinatie met een natuurlijke hoeveelheid vitamine C draagt dit er toe bij dat het immuunsysteem wordt versterkt, waardoor infecties beter worden bestreden.

Wijn tegen virussen

Planten hebben geen immuunsysteem, maar kunnen zich wel verdedigen tegen virussen. Ook bij de wijnstok is dit het geval.

Laboratoriumproeven hebben uitgewezen dat rode wijn, ook in verdunde vorm, het poliovirus vernietigt. Hetzelfde wordt bereikt met enkele mg tanninen, of procyanide olipomeren.

Hetzelfde geldt in vitro voor andere virussen, als *Coxsakie*, *Herpes* en *Retrovirussen*, het *HIV* (Aidsvirus) inbegrepen.

Uit onderzoek blijkt dat deze antivirale werking berust op de fixatie van tannine, dat de virale eiwitmantel blokkeert waarlangs het virus penetreert in de cel.

De antivirale werking van wijn wordt bevestigd door het feit dat wijndrinkers die niet roken, minder vaak griep krijgen dan niet-rokende geheelonthouders. Wijn heeft dus een preventieve werking bij griep.

Bedrijfsgeneeskundige statistieken tonen duidelijk aan dat matige wijndrinkers minder ziekteverzuim hebben als gevolg van infecties dan geheelonthouders.

Wijn tegen tandbederf

Tandcariës is een infectieziekte. De Streptococ mutans transformeert suiker en bevordert tandplak, die vervolgens resulteert in cariës.
De procyanidolen van de wijn hechten zich aan de bacteriën en verstoren hun functioneren zodanig, dat de vorming van tandplak wordt voorkomen.

Wijn remt ontstekingen

Nieuw onderzoek duidt erop dat (weer) de polyphenolen in wijn indirect ontstekingen kunnen voorkomen, doordat ze juist die enzymen remmen die daarvoor verantwoordelijk zijn, maar het onderzoek in deze is nog niet vergevorderd. Wel wordt in Japan en China reeds gebruik gemaakt van de anti-ontstekingseigenschappen van het polyphenol resveratrol.

WIJN WERKT TEGEN ALLERGIËN

Bepaalde polyphenolen remmen het enzym histidine decarboxylase, dat histidine (een weinig schadelijk aminozuur) omvormt in histamine, dat allergische reacties veroorzaakt.

Finse onderzoekers hebben onlangs deze experimenten bevestigd en aangetoond dat wijn zeer doeltreffend kan zijn in het beperken van de verschijnselen van hooikoorts. Maar er zijn helaas ook wijnen die van zichzelf teveel histamine bevatten en bij daarvoor gevoelige personen allergische reacties kunnen oproepen. Zo kan ook een wijn met teveel sulfiet een astma-aanval veroorzaken; biologisch geteelde wijnen hebben dit risico niet.

WIJN IS HET BESTE DIGESTIEF

Het goede effect op de spijsvertering was in de loop der eeuwen één van de bekendste kwaliteiten van wijn en dit wordt nu ook door de wetenschap bevestigd.

Invloed van wijn op de maag

Wijn beschermt tegen maagzweren door het voorkomen van histaminevorming.

Onderzoek in 1986 van PETERSON toonde aan dat wijn de afscheiding van maagzuur stimuleert en daardoor een echt aperitief is. De auteur denkt dat het de aminen in de wijn zijn (tyramine, dimethylamine, ethanolamine etc.) die dit bewerkstelligen. Een glas wijn vóór de maaltijd zal dus de afscheiding van maagsappen bevorderen, met name van die sappen die eiwitten verteren.

Een andere studie (CHACIN, 1991) toont aan, dat wijn een veel gunstigere werking heeft op het maagslijmvlies dan alleen alcohol. In grotere concentraties (vanaf 20%) heeft alcohol zelfs een negatief effect, en gaat de afscheiding van maagsappen verhinderen.

Dit verklaart het feit, dat een borrel (whisky, jenever, gin, wodka...) vóór het eten, zoals nog veel gebeurt, absoluut niet goed is en de vertering van het voedsel zelfs zal verstoren.

... *op de galblaas*

Bepaalde bestanddelen in de wijn (cinnaminezuur) stimuleren de afscheiding van gal. Wijn helpt daarom in belangrijke mate bij het goed verteren van een uitgebreide maaltijd, met name van de vetten in de dunne darm.

... *op de alvleesklier*

GIN en CHRISTIANSEN hebben aangetoond (1992) dat in kleine hoeveelheden (1 à 2 glazen per maaltijd) wijn de gevoeligheid voor insuline verbetert. Insuline is een hormoon dat afgescheiden wordt in de alvleesklier en het bloedsuikergehalte verlaagt.

Bij volwassenen met een zgn. ouderdomsdiabetes (die dikwijls gepaard gaat met een overgewicht), ook wel diabetes van het type 2 genaamd, heeft de alvleesklier de neiging om teveel insuline af te scheiden (hyperinsulinemie). Deze insuline wordt door het lichaam slecht herkend en heeft daarom weinig effect; we spreken dan van insulineresistentie.
De alvleesklier zal daarom nog meer insuline afscheiden om het bloedsuikergehalte te doen dalen, waardoor het teveel aan insuline verder verergert. Men heeft kunnen vaststellen, dat een kleine dagelijkse hoeveelheid wijn deze vicieuze cirkel van hyperinsulinemie - insulineresistentie doorbreekt door verbetering van de gevoeligheid voor insuline; dit verbetert ook de diabetes.

... *op de dunne darm*

Wijn vertraagt enigszins de bewegingen van de dunne darm en verlengt daarmee de spijsvertering.

... op de dikke darm

Wijn heeft duidelijk een anti-kramp werking en gaat daarmee ook diarree tegen. Aangetoond is, dat dit komt door de aanwezige flavonoïden en Catechinen. Bij gebrek aan andere geneesmiddelen geeft wijn dus baat bij een diarree veroorzaakt door bacteriën, omdat zij vochtverlies vermindert en de infectiehaard steriliseert.

WIJN EN OVERGEWICHT

In kleine hoeveelheden - één glas rode wijn aan het einde van de maaltijd - helpt wijn om gewicht te verliezen.
Wijn draagt bij tot het verminderen van het bloedsuikergehalte en van een teveel aan insuline dat gewichtstoename veroorzaakt. Een vermindering van het insulinegehalte vergemakkelijkt het afvallen, door bevordering van de werking van het triglyceride lipase, het enzym dat de reservevetten doet afnemen.

Daarnaast heeft het BRAVO aangetoond (1994) dat de catechinen in de wijn meer vet afscheiden met de uitwerpselen.

ANTI-OXYDANT WERKING VAN WIJN

De anti-oxydant werking van wijn is gebruikt voor het verminderen van de vorming van vrije radicalen door radio-activiteit. Met name in de voormalige USSR is hiermee geëxperimenteerd na de kernramp bij Tsjernobil. De medische hulpploegen ter plaatse kwamen allerlei middelen tekort en waren niet in staat de meer geijkte methoden toe te passen.

WIJN VERTRAAGT HET VEROUDERINGSPROCES

Vrije radicalen zijn het gevolg van een oxydatieverschijnsel dat de structuur van het DNA van de chromosomen, alsmede van de cellen en van de celdeling nadelig beïnvloedt. De nieuwe cellen zijn van een mindere kwaliteit.

Om dit inzichtelijk te maken vergelijken we de celdeling met het maken van fotocopieën. Wanneer we steeds weer de copie gebruiken voor het maken van de volgende copie worden deze steeds slechter en onleesbaarder. Evenzo verslechtert de kwaliteit van de cellen, wanneer de celdeling verstoord wordt door vrije radicalen. Ook het proces van celveroudering kunnen we hiermee vergelijken.

De beste manier om deze verslechtering en ouderdomsverschijnselen tegen te gaan, is het tegengaan van vrije radicalen. Wijn is rijk aan polyphenolen, werkt daarom sterk anti-oxyderend en is daarmee een 'ouderdomsremmer' bij uitstek.

Deze anti-oxyderende werking van wijn is evenwel beperkt tot matige doses (2 glazen per maaltijd), omdat elk teveel aan alcohol op zich weer vrije radicalen veroorzaakt.

Dr. DOUGNAC heeft aangetoond (sinds 1933) dat mensen in wijnbouwgebieden langer leven.

leeftijdsgroep	% verhoging van de levensverwachting in de Medoc vergeleken met Frankrijk als geheel
60 - 64	+ 25%
65 - 69	+ 27%
70 - 79	+ 29%
80+	+ 46%

Dr. DOUGNAC vergeleek ook de levensverwachting van de inwoners van Calvados - waar cider en alcohol wordt gedronken - met de inwoners uit de Gironde, de streek van Bordeaux. De resultaten zijn zeer verhelderend.

leeftijdsgroep	% verhoging van de levensverwachting in de Gironde vergeleken met Calvados
60 - 69	+ 35%
70 - 79	+ 33%
80+	+ 65%

Een meer recente studie (Dr. BASPEYRAS, 1986) toont aan dat deze verschillen nog steeds hetzelfde zijn.

Van oudsher wil de volkswijsheid dat oudere mensen bij elke maaltijd een glas wijn moeten drinken om langer en gezond te leven.
Mij eigen grootmoeder (afkomstig uit Bordeaux) heeft deze methode haar leven lang beoefend en ze is 102 jaar oud geworden.

Het is nu wetenschappelijk vastgesteld, dat rode wijn veel polyphenolen bevat, die daadwerkelijk de levensduur bevorderen. De oudste vrouw ter wereld, Jeanne Calment, die in 1996 121 jaar werd, heeft

altijd benadrukt, dat ze haar hoge leeftijd niet alleen te danken heeft aan het klimaat en de voeding van haar geboortestreek, de Provence, maar ook aan de port en de chocolade die ze zich dagelijks permitteerde; beide bevatten bijzonder veel polyphenolen.

In dit verband vermelden we nog dat de tannines in rode wijn een goede bescherming bieden tegen cataract, een kwaal die vooral oudere mensen treft. Ze remmen het enzym aldolase réductase, dat indirect voor cataract verantwoordelijk is.

BETERE IJZERABSORPTIE

Het ijzer in onze voeding wordt mèt wijn - met name witte wijn - beter door ons lichaam opgenomen, met name wanneer deze gedronken wordt tijdens de maaltijd.

WIJN WERKT TEGEN KANKER

Aangetoond is, dat wijn - altijd in redelijke hoeveelheden - bescherming kan bieden tegen kanker. We weten dat vrije radicalen een belangrijke rol spelen in het ontstaan van kanker en we weten dat hun ontstaan geremd wordt door *polyphenolen*.
Ook aan *vezels* wordt werking tegen kanker toegeschreven en voor kankers aan dikke en endeldarm is dit bewezen. Ook van *aspirine* is bewezen dat het kanker in slokdarm en dikke darm helpt voorkomen.
Welnu, alle drie - polyphenolen, vezels en aspirine - komen in grote hoeveelheden voor in wijn.

WIJN WERKT HET BESTE TEGEN STRESS

LIPTON heeft (in 1994) aangetoond dat er een verband bestaat tussen het drinken van alcohol, en het beheersen van stress en het voorkomen van depressies. Mensen die alleen water drinken of maar weinig alcohol, maar ook zeer zware drinkers zijn erg gevoelig voor stress. Matige drinkers beheersen hun stress in alle gevallen beter en zijn minder onderhevig aan depressies.

In een in 1979 gehouden onderzoek werd een representatief aantal mensen ondervraagt naar de redenen waarom ze een alcoholhoudende drank gebruiken. Bier werd gedronken om de dorst te lessen, vooral bij warm weer; aperitiefs en digestiefs "omdat anderen dat ook drinken" en 80% van de ondervraagden dronk wijn als begeleiding bij de maaltijd.

Niemand durfde te zeggen dat hij wijn ook dronk vanwege de rustgevende en opwekkende werking en de goede invloed op stress; dat zou verkeerd kunnen worden geïnterpreteerd. En de wijnliefhebber die zonder terughoudendheid praat over het genot dat de wijn hem verschaft en anderen met trots zijn kelder toont, heeft er veel meer moeite mee om openlijk toe te geven dat hij of zij ook wijn drinkt om zichzelf op te monteren of weerstand te bieden tegen stress.
En toch is wijn ook dát: het werkt *opwekkend*, het *bestrijdt angst*, het werkt *antidepressief* en zelfs *hypnotisch-kalmerend*.

Zijn dit aspecten waarover we moeten zwijgen of zelfs ons moeten schamen? Want er zijn altijd mensen die wijn vereenzelvigen met drugs en elke met wijn besproeide gezelligheid beschouwen als het voorportaal tot alcoholisme. Welke arts durft heden ten dage (ook al doet hij dat zelf wel) een gematigd wijngebruik voor te schrijven aan mensen om zich te ontspannen, meer zelfvertrouwen te krjgen, minder angstig te zijn kortweg om het leven meer rose of in ieder geval minder donker te zien?

Toch bezit wijn al deze eigenschappen en is het een elixer dat de menselijke betrekkingen verbetert. Zou het dus zo erg zijn - of onbehoorlijk - om dáárom wijn te drinken, zonder daar overigens misbruik van te maken?
Zoals we gezien hebben loopt het wijnverbruik in Frankrijk sterk terug. Zou er een verband zijn met de belangrijk toegenomen mistroostigheid van de inwoners van ons land?

Daar zouden onze artsen eens wat meer over moeten nadenken. In plaats daarvan schrijven ze elk jaar weer, zonder enige emotie en alleen ten faveure van de farmaceutische industrie en tot groot verdriet van de sociale zekerheid, recepten voor:

- 85 miljoen dozen tranquillizers
- 22 miljoen dozen neuroleptica
- 43 miljoen dozen antidepressiva
- 67 miljoen dozen slaapmiddelen

De Fransen zijn daarmee de belangrijkste gebruikers van deze psychofarmaca. Zou een goed glas wijn niet veel verstandiger zijn dan een pil chemie met een aantal gegarandeerde bijwerkingen?
In ieder geval moet het nu eens afgelopen zijn met het oproepen door een stelletje paranoïde puriteinen van het spookbeeld van het smerige en verwoestende alcoholisme dat ons in de XIX-e eeuw teisterde.

WIJN HEEFT OOK EEN GOEDE INVLOED OP DE BLOEDVATEN IN ONZE HERSENEN

Herseninfarcten zijn het gevolg van het dichtslibben en verstoppen van een slagader naar de hersenen. Het gedeelte van de hersenen dat zodoende te weinig bloed krijgt toegevoerd, functioneert dan tijdelijk of in het geheel niet meer. Dit kan verlammingsverschijnselen veroorzaken of spraakmoeilijkheden. Dit soort beschadigingen lijkt veel op

wat we ook zien bij het hart, afgezien van optredende vaatspasmen.

Zoals uitvoerig is aangetoond voorkomt wijn op doeltreffende wijze atheroom van de hartvaten en dit geldt ook voor de hersenen.
Meerdere studies wijzen dat uit:

Stampfer *(1988)*				
gram wijn/dag	0	<15	15 à 50	60 à 140
risico	1	0,7	0,4	0,8
Polomaki *(1993)*				
gram wijn/dag	0	2	5	
risico	1	0,5	1	

Ook KLOSKY (1990) toonde aan, dat 2 - 3 glazen per dag beschermt tegen zuurstoftekort van de hersencellen.

Na de publicaties over de franse paradox, die de goede invloed van wijn aantoonde op hart- en vaatziekten, staken een aantal angelsaksische artsen de koppen bij elkaar om deze aanname te ontzenuwen. Ze wilden aantonen dat elke alcohol dit effect heeft, ook whisky, gin en bier, wanneer ze maar met mate en regelmatig worden gebruikt.

In het vorige hoofdstuk hebben we gezien, dat ook andere alcoholhoudende dranken kunnen beschermen tegen hart- en vaatziekten.
Maar het blijkt uit het voorgaande dat wijn daarnaast nog een indrukwekkend aantal andere therapeutische eigenschappen heeft en beschouwd kan worden als een echt geneesmiddel.

HOOFDSTUK 8

Gevaren van teveel drinken

In de voorgaande hoofdstukken hebben we gezien, dat wijn beschouwd kan worden als een volwaardig voedingsmiddel. Mits met mate gedronken, is wijn ook uitstekend voor de gezondheid.
In het voorgaande hebben we er steeds de nadruk op gelegd dat wijn met mate moet worden gedronken. We denken dat het goed is om ook nog eens uitvoerig toe te lichten hoe gevaarlijk wijn kan zijn wanneer we er teveel van drinken!

"Vergif is een kwestie van hoeveelheid", zei Hippocrates reeds. We zullen zien dat de hoeveelheid wijn die zonder schadelijke uitwerking gedronken kan worden voor iedereen anders is. Vrouwen verdragen in het algemeen wijn minder goed dan mannen, maar er zijn sterke individuele verschillen.

DE STOFWISSELING VAN ALCOHOL

De risicofactor in wijn is de alcohol. De stofwisseling van deze alcohol (ethanol), in de ingewanden, begint voor 95% door het enzym *alcohol-*

deshydrogenase of ADH. De alcohol wordt daardoor omgezet in acetaldehyde. Vervolgens wordt deze acetaldehyde omgezet in acetaat door een ander enzym, het *acetaldehyde-deshydrogenase* of *ALDH*. Het grootste deel van dit acetaat (70%) wordt afgescheiden als warmte, het restant (30%) wordt omgezet in vet, met name triglyceriden.

Het eerste enzym voor de spijsvertering, het ADH, kan actief zijn in twee organen: de maag en de lever. Wanneer we wijn drinken op de *nuchtere maag* verblijft deze daar maar zeer kort, en het ADH in de maag heeft geen tijd om zijn werk te doen. De alcohol gaat dus direkt naar de dunne darm, waar hij geabsorbeerd wordt en komt vervolgens door de poortader in de lever.

In de lever werkt het lever-ADH, die per uur 100 mg. alcohol per kilo lichaamsgewicht kan verwerken. Dat is:

- 6 gram alcohol per uur voor iemand die 60 kg weegt.
- 7 gram alcohol per uur voor iemand die 70 kg weegt.
- 9 gram alcohol per uur voor iemand die 90 kg weegt.

Wanneer iemand per uur méér drinkt, komt er wel nog een ander enzymsysteem in werking (het cytochroom P450), maar toch geraakt de alcohol in het bloed, en krijgen we een alcoholemie, ofwel teveel alcohol in het bloed. Dit teveel aan alcohol, dat op dat moment dus niet door onze stofwisseling verwerkt kan worden, kan al naar gelang de gevoeligheid van het individu een draaierig gevoel geven. Dit kan dus gebeuren wanneer we alcohol drinken op de nuchtere maag, waardoor de alcohol binnen twintig minuten in het bloed komt.

De opname van alcohol verloopt veel gelijkmatiger wanneer we *pas drinken halverwege de maaltijd*. De piek in het bloed treedt dan pas op ongeveer één uur na het laatste glas, en de alcohol wordt veel beter verwerkt. Daarom moest alcohol op een nuchtere maag - zoals een aperitief midden op de dag, of in de middag - verboden worden.

Wanneer we wijn drinken met ons eten heeft het ADH in de maag de tijd om in te werken. Dit spreidt de vertering van de alcohol over een langere tijd en voorkomt een te snelle en te hoge stijging van het alcoholgehalte in het bloed.
In ieder geval is het noodzakelijk om, vóórdat we alcohol drinken ook al is het maar één glas wijn, iets te eten. Het gaat er om de sluitspier tussen maag en dunne darm, de pylorus, te sluiten door het eten van eiwit-vethoudend voedsel, zoals olijven, kaas, schijfjes worst, gerookte zalm.

Er zijn grote verschillen wat betreft de produktie van het ADH-enzym in de maag:

- bij vrouwen bedraagt deze ruim de helft vergeleken met mannen. Dit verklaart dus waarom vrouwen alcohol minder goed verdragen.
- Aziaten hebben maar weinig ADH; 85% minder dan Europeanen, en dit geldt ook voor andere volkeren als Eskimo's, Indianen en de Aboriginals in Australië. Men zou kunnen stellen dat die soorten van het menselijk ras, die weinig of geen ervaring hebben met alcohol, het enzym ADH in zichzelf niet ontwikkeld hebben. Ze zijn daarom meer gevoelig voor dronkenschap, én voor alcoholisme.
- Alcoholisten in het Westen hebben minder (- 50%) ADH in hun maag en dit draagt zeker bij tot het instandhouden van hun ziekte.
- Bepaalde medicijnen (H2-blokkers) die dikwijls worden voorgeschreven tegen zweren in de maag en in de twaalfvingerige darm, beperken geheel of gedeeltelijk de werking van het ADH in de maag.

DE KWALIJKE INVLOED VAN EEN TEVEEL AAN ALCOHOL OP DE STOFWISSELING

Gevolgen voor het bloedsuikergehalte

Teveel wijn (en alcohol i.h.a.) op de nuchtere maag, waarbij daarna niet gegeten wordt, verhoogt de kans op een hypoglycemie.
Alcohol verhindert de neoglucogenese waardoor een tekort ontstaat aan bloedsuiker en het bloedsuikergehalte daalt. Wanneer deze daling zich voortzet treden achtereenvolgens volgende verschijnselen op: hoofdpijn, gapen, plotselinge vermoeidheid, verlies aan concentratievermogen, geheugenverlies, gezichtsproblemen, rillerigheid en ook een zekere geïrriteerdheid.
Wanneer wijn op de nuchtere maag ook nog suiker bevat (Pineau, Port, Sauternes, Sangria ...), wordt deze secondaire hypoglycemie nog erger. Dan kan een crisis optreden, met symptomen als: transpireren, trillen, sterk hongergevoel, angstgevoelens, tot aan bewustzijnsverlies toe.

Invloed op de suikerzieke patiënt

2 glazen wijn gedurende de maaltijd brengt een insuline-afhankelijke suikerzieke niet uit zijn evenwicht; bij grotere hoeveelheden loopt hij wel risico's. Maar wanneer hij deze glazen drinkt op de nuchtere maag is er een grote kans op een hypoglycemie en dit kan plotseling en zonder enige waarschuwing optreden.
Dezelfde 2 glazen gedurende de maaltijd verhogen bij een insulineonafhankelijke suikerzieke patiënt eerder de glucosetolerantie, en dit zal er derhalve toe bijdragen dat het bloedsuikergehalte daalt. Dit is terug te voeren op verbetering van de insulinegevoeligheid en aan de oplosbare vezels in wijn, die de opname van koolhydraten uit de maaltijd verminderen.
Maar bij méér dan 2 glazen per maaltijd wordt de hyperinsulinemie verhoogd en derhalve ook de insuline-resistentie.
Alcoholisme leidt tot glucose-intolerantie. Meer dan de helft van de

chronische alcoholici lijdt hieraan en dit kan leiden tot suikerziekte. Statistieken wijzen uit dat 10% van de leverpatiënten lijdt aan suikerziekte (vergeleken met gemiddeld 4% van de bevolking in totaal).

Invloed op de spieren

Bij overmatig wijngebruik is er een verhoogd risico op vermindering van de spiermassa, omdat de aminozuren uit de eiwitten van het voedsel dan slecht geabsorbeerd worden in de dunne darm.

Invloed op het immuun-systeem

Overmatig alcoholgebruik verlaagt het albumine-gehalte in het bloed. Dit is een teken van ondervoeding, waardoor het immuunsysteem steeds meer tekortschiet en de betrokkene meer vatbaar wordt voor infectieziekten.

Gevolgen voor hart en bloedvaten

In hoofdstuk VI hebben we gezien dat een matig gebruik van wijn (2 - 4 glazen per dag) een goede invloed heeft op cholesterol: het totale cholesterolgehalte evenals het ('slecht') LDL-cholesterol daalt en het ('goede') HDL-cholesterol stijgt. Maar zodra we meer drinken, afhankelijk van ieders gevoeligheid, kan het triglyceridegehalte een kritisch niveau bereiken.
Wanneer we regelmatig grote hoeveelheden drinken (4 - 5 glazen per dag), kan dit leiden tot een overmatige hoeveelheid vrije radicalen, zonder het tegenwicht van de positieve actie van polyphenolen.
Een overmatig wijngebruik, met name van rode wijn, geeft daarnaast ook het risico van een hogere bloeddruk. De laagste bloeddruk treedt op bij 2 glazen wijn; bij meer dan 5 glazen nemen de boven- en onderdruk bij elk glas met 10 mm. kwik toe [1].

[1] *De bovendruk mag normaliter niet meer bedragen dan 155 mm. Hg en de onderdruk niet meer dan 90 mm., anders spreken we van een verhoogde bloeddruk.*

De invloed van alcohol op de bloeddruk manifesteert zich pas na 24 tot 48 uur en verdwijnt vervolgens bij onthouding. De echte weekenddrinkers hebben daarom een hoge bloeddruk op maandag en zijn vrijdag normaal.
Grote drinkers hebben 2 tot 3 maal zoveel een hoge bloeddruk dan normale drinkers. Alcoholmisbruik is, ná vetzucht, de tweede belangrijke oorzaak van hoge bloeddruk.
Eén op de vier zware drinkers heeft een hoge bloeddruk.
Een hoge bloeddruk verhoogt de kans op hartaandoeningen en op herseninfarcten.
Een daling met 5% van de maximale bloeddruk vermindert het aantal hartaandoeningen met 9% en het aantal herseninfarcten met 14%.

Overmatig alcoholgebruik geeft nog andere risico's voor hart en bloedvaten:

- **Obstructieve cardiomyopathie**. Probleem met de linkerhartkamer dat de bloedsomloop in het hart verandert.

- **Hartritmestoornissen**. Verantwoordelijk voor 17% van een plotselinge dood bij mensen jonger dan 50 jaar.

- **Onvoldoende hartwerking**. Uit zich in kortademigheid tijdens inspanning, maar ook in de slaap. In extreme vorm is er waterzucht in de benen.

- **Herseninfarcten (C.V.A.)**. Dit is de derde grootste doodsoorzaak in Frankrijk en de belangrijkste reden van blijvende invaliditeit.
  We onderscheiden hier twee soorten, naargelang hun werking:
- *Ischemische type* Herseninfarcten als gevolg van de verstopping van een slagader in de hersenen. We hebben gezien dat de kans hierop belangrijk vermindert wanneer we matig wijn drinken (2 à 4 glazen per dag). Maar de kans op deze aandoening neemt belangrijk toe wanneer we meer dan 6 glazen per dag drinken.

- *Bloederige type*, gevolg van het barsten van bloedvaten in de hersenen, als gevolg van een te hoge bloeddruk. De verminderde stolbaarheid vanwege wijn wordt dan een nadeel, omdat dit bloeduit stortingen bevordert. In dit specifieke geval wordt het risico dus groter naarmate er meer wordt gedronken. Oudere mensen met hoge bloeddruk moeten we rode wijn dus afraden.

Gevolgen voor de spijsverteringsorganen

Voor de maag

Overmatig wijngebruik kan terugstroom veroorzaken van het maagzuur naar de slokdarm, waarbij dan slijmvlieserosies kunnen optreden (oesophagitis).

Voor de lever

Bij meer dan 7 - 8 glazen wijn per dag, elke dag, vormen zich steeds meer vetdepots in de lever (leversteatose). Eén op de twee van deze excessieve drinkers zal een alcoholische leverontsteking krijgen. De alcohol komt in grote hoeveelheden in de lever (acétaldehyde) wordt giftig en geeft vrije radicalen, die de levercellen oxyderen en de regeneratie van de levercellen remt.

Een hepatitis is nog omkeerbaar; na enkele weken onthouding verdwijnen de beschadigingen. Maar na 10 - 20 jaar van overmatig drinken ontwikkelt 10% van de zware drinkers een cirrhose, die niet meer herstelt. Bovendien gaat deze aandoening vergezeld van een verandering in het immuunsysteem. In het lichaam worden antilichamen gevormd die de lever van de patiënt gaan aanvallen en deze willen vernietigen; levercirrhose wordt aldus een auto-immuun ziekte.
Vrouwen die een liter wijn per dag drinken, hebben 35 maal meer kans op een cirrhose dan mannen, omdat ze minder van het enzym ADH uitscheiden.

Voor een arts is het moeilijk om deze beschadigingen te constateren wanneer de patiënt niet meewerkt en toegeeft dat hij veel drinkt, want de symptomen zijn niet opvallend: gebrek aan eetlust, vermageren, ochtend-braken en verhoogd Transaminase gehalte (leverenzymen) in het bloed.

Voor de galblaas
Bij meer dan 4 - 5 glazen per maaltijd kan de galblaas zich niet meer normaal samentrekken. Hierdoor wordt vet soms niet meer normaal verteerd in de dunne darm, de gal stagneert abnormaal in de galblaas en dit kan bij bepaalde mensen het ontstaan van galstenen bevorderen.

Invloed op het urinezuurgehalte

Na het drinken van grote hoeveelheden alcohol hoopt zich melkzuur op en dit leidt tot verminderd uitscheiding van urinezuur in de nieren. Een hyperuricemie (meer dan 70 gr./liter) is dikwijls een teken van chronisch alcoholisme. Dit kan leiden tot een jichtaanval wanneer flink wijn wordt gedronken. De kans hierop is maximaal bij Bourgognes en het minst bij Champagne.

Invloed op endocriene klieren

Bij een alcoholicus functioneren de testikels slecht, zakt het testosterongehalte en verhoogt verhoudingsgewijs het oestrogeengehalte.
Dit geeft de volgende secondaire effecten:

- in 19% van de gevallen: meer borsten (gynécomastie)
- minder haargroei
- gynoïde (vrouwelijke) vetvorming, d.w.z. van het onderlichaam (peervormig)
- rode vlekken op de huid, met name van gezicht en handen
- impotentie en dikwijls (40%) verstoring van het libido
- in geval geslachtelijke omgang nog mogelijk is, is er in 80% van de ge-

vallen geen ejaculatie. Zoals het spreekwoord zegt: "Bacchus is de vijand van Venus".

Bij meer dan 5 glazen per dag kunnen vrouwen problemen krijgen met de ovulatie. Steriliteit komt dan 3 maal zoveel voor en bij meer dan 6 glazen zelfs 6 maal zoveel.
Wanneer vrouwen veel drinken, wordt de aanmaak van het 'mannelijke' hormoon testosteron tijdelijk gestimuleerd, en daarmee hun seksueel gedrag. Vandaar het streven van de 'geboren' verleider om het voorwerp van zijn veroveringsdrang een paar glazen te laten drinken.

Invloed op de assimilatie van micronutriënten

Minder vitaminen

Zware drinkers krijgen onvoldoende vitaminen;

- Omdat hij/zij er te weinig van eten. Een alcoholicus eet weinig en is dus slecht gevoed, terwijl zijn behoeften groter zijn, met name aan vitamine B1 voor het activeren van het ALDH-enzym. Zoals we gezien hebben is dit enzym noodzakelijk voor de afbraak van de alcohol.

- De opname van het voedsel in de darmen wordt verminderd.

- De lever, die dikwijls een rol speelt in de assimilatie van vitaminen, functioneert minder.

- Meer vitamineverlies met de urine.

Vitaminetekorten komen dus veel voor bij alcoholici. Deze tekorten op hun beurt bevorderen weer de giftige effecten van de alcohol, met name voor de zenuwen.

Minder mineralen

Teveel alcohol vermindert de opname van *calcium* in de dunne darm

en bevordert daarmee osteoporose, met name bij vrouwen.
Een alcoholicus komt ook dikwijls *fosfor* tekort. Ten eerste omdat hij er te weinig van eet en vervolgens omdat hij er veel van verliest in de urine, vanwege nierbeschadigingen en ook vanwege een laag magnesiumgehalte in zijn bloed. Een tekort aan fosfor veroorzaakt psychische en neurologische problemen: geïrriteerdheid, desoriëntatie, tinteling in armen en benen, moeilijkheden om zich te uiten tot toevallen toe.

Spoor-elementen
Een overmatig wijngebruik kan zowel een tekort als een opeenhoping van spoorelementen geven;

- Er zal een *zink*tekort optreden met als gevolg:
  • slecht funktionerende genitaliën (testikels, eierstokken)
  • slecht zien in het donker
  • verminderde immuniteit en verhoogde gevoeligheid voor infecties.

- Een tekort aan *selenium* vermindert de hoeveelheid anti-oxydanten en daarmee hun bijdrage aan de strijd tegen vrije radicalen.

- Maar de hoeveelheid *lood* in het bloed van de zware wijndrinker is daarentegen hoger Dit geldt ook voor de hoeveelheid *ijzer*, die bijdraagt tot het binden van vrije radicalen.

Alcoholmisbruik en storingen op het zenuwstelsel

Meer hoofdpijn
Zeer gevoelige personen krijgen hoofdpijn van wijn. Dit komt door een aantal chemische stoffen, die in meer of mindere mate in wijn kunnen voorkomen; histamine, tyramine en sulfiet.

Problemen met oren, keel en neus

Overmatig wijngebruik over een lange periode (20 à 30 jaar) kan leiden tot problemen met het gehoor (34% van de gevallen) en met het evenwicht door beschadigingen aan het interne gehoororgaan (in 45% van de gevallen).
Evenwichtsproblemen worden ook verklaard door beschadigingen van de kleine hersenen. Cellen van de schors in de kleine hersenen worden gedeeltelijk vernietigd door een overmatig gebruik van wijn.

Invloed op de zenuwen

Vitamine B-tekort en de toxische werking van alcohol bevorderen bij de zware drinker beschadigingen van de zenuwcellen, met als uiteindelijke gevolg:
- zenuwontstekingen, die het lopen bemoeilijken en hevige pijnen veroorzaken.
- Oogaandoeningen (oogzenuw).

Verminderde waakzaamheid

Een geringe hoeveelheid alcohol in het bloed, van 0,3 gr. tot 0,5 gr. per liter, geeft een gevoel van welbehagen en euphorie. Maar bij een hoeveelheid van meer dan 1 gr./l. wordt men slaperig.
Eén tot twee glazen bij het avondeten kunnen er voor zorgen dat u 's nachts langer slaapt, maar grotere hoeveelheden bereiken juist het tegendeeel: slecht inslapen, minder diepe slaap en meer REM-slaap. Bovendien verandert een teveel aan alcohol 's nachts de ventilatie van de longen met kans op slaapapnee. De kans hierop wordt verhoogd wanneer de betrokkene zwaarlijvig is. Deze stops in de ademhaling geven zuurstoftekorten in het bloed en dit geeft een intens gevoel van moeheid bij het ontwaken.

Psychische stoornissen

Wanneer het lichaam teveel alcohol krijgt geeft dit gedragsstoornissen:

- Dronkenschap (evenwichtsverlies, geestverwarring)
- Staat van agressieve opwinding
- Vlagen van hevige opwinding (obsessies, fixaties, achtervolgingswaanzin)
- Krampen en zelfs epileptische aanvallen.

Wanneer de betrokkene plotseling alcohol wordt onthouden (bijv. bij ziekenhuisopname of in hechtenis) kunnen de stoornissen nog heviger worden: heftig bewegen, delirium tremens en hallucinaties.
Bij de matig chronische alcoholicus zijn de problemen gradueel van aard, zoals:

- Gedragsveranderingen (geïrriteerdheid, instabiel gedrag, impulsief gedrag, driftaanvallen, verbaal of physiek geweld t.o.v. de omgeving)

- Storingen van het gevoelsleven, variërend van sterk opgewonden tot diepe neerslachtigheid

- Opwellingen van jalouzie t.o.v. collega's of de partner

- Hardnekkige idees fixes.

En helaas is drank de beste manier voor de alcoholist om weer rustig te worden!

DE WEDERZIJDSE BEÏNVLOEDING VAN WIJN EN MEDICIJNEN

Verminderde afbraak van alcohol

Bepaalde medicijnen blokkeren het enzym ALDH en veroorzaken zo een opeenhoping van niet-volledig omgezette alcohol, het acetaldehyde. Dit uit zich in misselijkheid, braken, een rood gezicht en aanvallen van duizeligheid.

Dit is met name het geval voor:
- de bloedsuikerverlagende sulfamiden, die gebruikt worden voor volwassenen met diabetes II (ouderdomsdiabetes)
- bepaalde anti-schimmelmiddelen bij de behandeling van mycose.
- bepaalde antibiotica (cephalosporinen).

De arts moet zijn patiënt waarschuwen voor deze onaangename bijwerkingen wanneer hij/zij ze neemt en er wijn bij drinkt. Bij patiënten waarvan hij weet dat ze regelmatig wijn of alcohol drinken, moet hij deze medicijnen bij voorkeur vermijden.

Meer of juist minder effect van medicijnen

Bij zware drinkers wordt de verwerking van medicijnen door het lichaam sterk beïnvloed.

- Wanneer de lever geactiveerd wordt om de alcohol om te zetten (in acetaldehyde) komt ook het geneesmiddel sneller en in grotere hoeveelheden beschikbaar. Er is dan kans op een vergiftiging, of op versterkte bijwerkingen (slaperigheid bijvoorbeeld).

- Wanneer de lever eerst de alcohol omzet wordt het medicijn niet volledig afgehandeld. Er komt dan te weinig van in het bloed en de behandeling is minder of niet effectief.

Er is een lange lijst van medicijnen, waarvan de werking op deze wijze wordt beïnvloed door alcohol. Uw behandelend arts moet ze kennen.

Bepaalde medicijnen vereisen bijzondere aandacht in deze:

• *Anti-epileptica.*
Deze worden veelvuldig voorgeschreven aan alcoholici.

• *Tranquillizers en anxiolytica.*
Hun uitwerking wordt bij alcoholgebruik versterkt. Het belangrijkste risico is een toenemende slaperigheid die bij autorijden fataal kan zijn. Ook moet rekening worden gehouden met geheugenstoornissen of geheugenverlies gedurende de periode dat de patiënt onder invloed is van deze medicijnen. Slechtwillende lieden, die deze bijwerkingen kennen, gooien ongemerkt benzodiazapine in het glas van hun slachtoffer om deze vervolgens te bestelen of te verkrachten. Door het geheugenverlies dat hierop volgt wordt de bewijslast bemoeilijkt.

De combinatie alcohol met antihistamine (tegen allergieën) en met pijnstillers bevordert slaperigheid, ook wanneer het alcoholgehalte in het bloed minder is dan 0,5 gram per liter. Het gevaar bij autorijden is duidelijk.

Daarom moeten bijsluiters nauwlettend worden gelezen. De gebruikelijke formulering is: *"Bepaalde ongewenste bijwerkingen kunnen versterkt of verlengd worden bij gebruik van alcohol"*.

Voormalige alcoholici, die zich onthouden van alcohol en nu medicijnen nemen om hen te helpen weerstand te bieden aan de verleiding, moeten zeer voorzichtig zijn met andere medicijnen, want veel daarvan bevatten alcohol. Dit is met name het geval met:
- Tonica als Tonicum Katwijk, Pleegzuster Bloedwijn, Helisana, Biofungu, Chinatecit druppels.
- Hoestsiroop als: Broomhexine HCL, Darolan, Bendogen.

- Bepaalde apotheekbereidingen: Infusum Carrogeen; -Ipecacuanhae.
- Plantaardige preperaten of homeopatische druppels, o.m. Echinaforce, van Vogel.

Tenslotte is het goed om te weten dat koffie na een rijkelijk besproeide maaltijd de lediging van de maag vertraagt. Het alcoholgehalte in het bloed is weliswaar op dat moment lager, maar het zal langer duren voordat dit weer zakt en het effect van de alcohol duurt daarom langer. Wanneer u dus ná zo'n maaltijd weer moet rijden kunt u de koffie beter laten staan.

ALCOHOL IS KANKERVERWEKKEND

In hoofdstuk VII hebben we gezien dat een matige hoeveelheid wijn per dag met veel polyphenolen een anti-oxydant werking heeft, dankzij de aanwezige flavonoïden. Dit werkt sterk tegen vrije radicalen en beschermt dus tegen kanker.
Maar naarmate de hoeveelheid alcohol toeneemt, geldt het tegenovergestelde: de hoeveelheid polyphenolen wordt onvoldoende om de vorming van vrije radicalen door de overmaat aan alcohol tegen te gaan.
Regelmatig overmatig gebruik verhoogt de kans op kanker aan de mond, de tong, de keelholte, het strottehoofd, de slokdarm, de endeldarm, de blaas en de borst.
Alcohol op zich is niet kankerverwekkend, maar co-carcinogeen. D.w.z. hij helpt waarschijnlijk andere kankerverwekkende stoffen dóór te dringen in de ingewanden, doordat het de cellen van de dunne darm oplost.
Een overmaat aan alcohol verhoogt het gehalte aan cytochroom P450 in de lever, waarvan bekend is dat het andere stoffen in het lichaam kankerverwekkend maakt.
Bepaalde alcoholhoudende dranken bevatten soms kankerverwekkende stoffen (nitrosamine in bier, benzopyreen in cider), die onder invloed van alcohol gemakkelijker doordringen in de ingewanden.

Bij blaaskankers spelen alleen dranken met anijs een rol, wijn niet.

Het optreden van kanker wordt ook bevorderd door de verzwakking van het immuunstelsel als gevolg van teveel alcohol.

Het meest bedreigende voor de gezondheid is de combinatie alcohol met tabak. Dit verhoogt in hoge mate de kans op kanker in de luchtwegen en de bovenste spijsverteringswegen. Zo wordt de kans op kanker voor iemand die 30 sigaretten per dag rookt en 1 liter wijn per dag drinkt, ruim 90 maal zo groot; en als hij/zij ook nog twee borrels drinkt (whisky, jenever, pernod ...) is dit zelfs 150 maal zo groot.

WIJN EN ZWANGERSCHAP

We hebben gezien dat overmatig alcoholmisbruik van vader of moeder de kans op steriliteit verhoogt. Wanneer dit niet het geval is, en er toch een bevruchting plaatsvindt, treden andere problemen op.

Wanneer de moeder niet, maar de vader wél een zware drinker is, zijn er weliswaar geen zichtbare lichamelijke afwijkingen in de vrucht maar er is wel kans op afwijkingen in de hersenen, met intellectuele en gedragsstoornissen. Dit wordt verklaard door mogelijke beschadigingen van de spermazotoïden, waardoor afwijkingen optreden in de replicatie van het RNA en problemen met de synthese van hun eiwitten. De kans hierop wordt nog groter wanneer ook de moeder op het moment van de bevruchting overmatig alcohol gebruikt.

Daarom moet de moeder in haar vruchtbare periode geen of maar weinig wijn of andere alcoholische drank gebruiken.
Bij vrouwen die meer dan 4 glazen wijn per dag drinken, is er ruim 20% méér kans op een miskraam.

Wat is nu de hoeveelheid wijn die een vrouw in een normaal verlopen-

de zwangerschap zich zonder risico voor de vrucht kan permitteren?

Van één glas wijn per dag zal zij niets merken. Maar bij 2 à 4 glazen per dag treden in 10% van de gevallen misvormingen op en is het gewicht bij de geboorte in de meeste gevallen lager dan normaal. De alcohol komt via de placenta in het bloed van het ongeboren kind en geeft daar kans op hersenbeschadigingen die zich uiten in een minder dan normaal IQ op 4-jarige leeftijd.
Wanneer de moeder méér dan normaal drinkt (meer dan 5 - 6 glazen per dag), is er in 50% van de gevallen kans op het foeto-alcoholisch syndroom. We zien de volgende afwijkingen:
- een abnormaal gewelfd voorhoofd
- een te grote afstand tussen bovenlip en neus
- een hazelip
- kleine en terugwijkende kin
- groeivertraging (gewicht, lengte)
- in mindere mate afwijkingen aan hart, nieren, botten en de mannelijke geslachtsorganen.

De mildere vormen van dit syndroom betreffen in Frankrijk 0,4 à 0,5 % van de geboorten. 0,1 à 0,2 % betreft ernstige gevallen. Kinderen die hierdoor aangetast zijn, vertonen bij 18 maanden achterstand met lopen. Maar ze kunnen ook hyperaktief zijn, of juist trager reageren, en geestelijk afwezig zijn. Wanneer ze 10 - 13 jaar oud zijn, is hun IQ lager dan gemiddeld en 61% van de jongens en 17% van de meisjes is kleiner dan normaal.
De grootste kans op het optreden van dit foeto-alcoholisch syndroom is bij de bevruchting, in de eerste en in de vijfde maand van de zwangerschap.

Daarbij moet wel worden aangemerkt, dat in 85% van deze gevallen een excessief alcoholgebruik samenging met tabak- en cafeïneverslaving.

WIJN EN BORSTVOEDING

1.7% van de alcohol die de moeder drinkt komt terecht in de moedermelk. Bij 1 à 2 glazen per dag is dit 85 mg. alcohol per liter moedermelk.
Deze hoeveelheid lijkt belachelijk klein, maar ze is belangrijk. De zuigeling heeft nog geen enzymsysteem (met name geen ADH), dat de alcohol kan oxyderen. Deze gaat dus direct naar de hersenen. We kunnen dit merken in het gedrag en met name wanneer de baby slaapt. Bovendien heeft de melk in zo'n geval een karakteristieke geur, waar de zuigeling niet van houdt. Deze zal daarom geneigd zijn de zoogtijd te verminderen, dus te weinig krijgen. De tepel wordt te weinig gestimuleerd en de melkafgifte wordt verminderd.
Even zoveel redenen voor de moeder om in de borstvoedingsperiode zich geheel van alcohol te onthouden.

Alcoholisme

In het vorige hoofdstuk hebben we gezien welke gevolgen een overmatige consumptie van wijn en andere alcoholhoudende drank voor de gezondheid kan hebben. Bij de overmatige drinker worden wijn en vooral bier en sterke drank gezamenlijk gedronken en is de onderlinge verhouding moeilijk precies vast te stellen.

Vanaf welk consumptieniveau kunnen we spreken van alcoholisme?

Er is sprake van alcoholisme als de drinker afhankelijk wordt van alcohol. Alcohol is dan een drug. De verslaafde kan niet meer zonder drank leven, kan zich niet meer onthouden. Hij denkt er voortdurend aan en verzint allerlei manieren om aan zijn dosis te komen.

Verslaving aan alleen wijn komt zelden voor. We zien dit hoofdzakelijk bij clochards die zich bedrinken aan tafelwijn omdat dit de goedkoopste manier is om dronken te worden. Het komt ook op het platteland voor (hoewel het daar enigszins aan het verdwijnen is), want daar was het sociaal gebruik, zo niet verplichting de gehele dag door wijn te drinken.

"Avoir un nez de facteur" (lett.: een postbode-neus hebben) betekende nog zo'n 20 jaar geleden dat je het gezicht van een alcoholist had. Het was vroeger ongeveer de plicht van de postbestellers op het platteland om op iedere boerderij waar ze wat te bezorgen hadden, een glas wijn te drinken.

Tegenwoordig is alcoholisme zeker voor tweederde verbonden aan de consumptie van bier en sterke drank (whisky, gin, wodka, pernod, eau de vie etc.). Wijn is veel minder de oorzaak, alhoewel hij wel vaak een rol speelt.

DE SYMPTOMEN

Het is niet zo moeilijk een alcoholverslaafde als zodanig te herkennen, wanneer we kijken naar de fysieke en psychische problemen die ontstaan als hij toevallig eens niets te drinken heeft.

Zijn *lichamelijke afhankelijkheid* uit zich in rillingen bij het opstaan, zweetaanvallen, braken, aanvallen van tachycardie (hartkloppingen) en slaapstoornissen.

Deze symptomen duiden erop dat het lichaam lijdt en smeekt om alcohol; ze verdwijnen binnen een paar minuten na het nuttigen van 10 tot 20 gram alcohol.

De *psychische afhankelijkheid* uit zich in onrustgevoelens, labiliteit en aggressiviteit vanwege een obsessief verlangen naar drank.
Diagnose is niet altijd gemakkelijk. De patiënt komt maar zelden met zijn probleem op de proppen wanneer hij bij zijn arts komt voor symptomen die ook bij andere kwalen kunnen optreden: spijsverteringsstoornissen, hoge bloeddruk, angst, prikkelbaarheid, depressiviteit, impotentie, krampen etc.

Er zijn wel een aantal min of meer duidelijke symptomen, zoals een opgeblazen gezicht met abnormale teint en rode vlekjes, een typische adem of trillende handen.

Deze kunnen bevestigd worden door bloedonderzoek:

Meting van het GT
De verhoging van dit enzymgehalte bij overmatige drinkers is in 1972 ontdekt. De normale waarde in bloedserum ligt voor mannen onder de 36 i.e. en voor vrouwen onder de 25 i.e.

Deze meting levert echter geen waterdicht bewijs voor alcoholisme. Bij 40% van de alcoholisten is het gehalte normaal, terwijl 13% van de niet-alcoholisten een te hoog gehalte heeft.

Een te hoog GT-gehalte kan ook het gevolg zijn van andere aandoeningen (lever- en galaandoeningen bij niet-alcoholisten, nier- en alvleesklierkwalen, suikerziekte) of samenhangen met medicijngebruik.

Het gemiddelde volume van de rode bloedcellen
Bij de overmatige drinker zijn de rode bloedcellen groter geworden (macrocytose), maar dit kan ook het gevolg zijn van een tekort aan vitamine B9 en B12, bij zwangerschap en schildklieraandoeningen.

Het triglyceridengehalte
Dit gehalte is slechts in 30% van de gevallen van alcoholemie te hoog.

Voor een juiste en nauwkeurige diagnose moeten we zowel de klinische symptomen als de resultaten van het bloedonderzoek in de afweging betrekken.

ALCOHOLISME IN FRANKRIJK

De overall-consumptie van alcohol (alle alcoholhoudende dranken) is de laatste 30 jaar in Frankrijk sterk gedaald (-34%), maar vreemd genoeg is het aantal alcoholisten gelijk gebleven.
Alcoholisme is, zoals we zullen zien, een echte ziekte en dit probleem is nog lang niet opgelost.

Frankrijk staat wat dit betreft niet alleen; de meeste landen hebben met hetzelfde probleem te kampen.

De statistieken over de totale Franse bevolking (58 miljoen) geven het volgende beeld:

- 7 miljoen (12%) overmatige drinkers;
- 2,5 miljoen (waarvan 900.000 vrouwen) verslaafden aan alcohol;
- 78.000 officieel erkende alcoholisten, die in de WAO zitten vanwege 'langdurige ziekte';
- Het alcoholisme kost de Franse staat jaarlijks 80 miljard frank aan medische zorg;
- De levensverwachting van een alcoholist ligt 12 jaar lager.

In 10% van de jaarlijkse sterfgevallen speelt alcoholisme een rol.

Statistisch onderzoek onder alcoholisten wijst tevens uit dat het risico van alcoholisme omgekeerd evenredig is met het onderwijs- en beroepsniveau; meer dan 70% van de alcoholisten heeft de middelbare school niet afgemaakt en 30% heeft zelfs alleen maar lagere school.

Bovendien heeft 55% van de alcoholisten geen werk. Ze zijn werkeloos, zitten in de bijstand of zijn gepensioneerd, kortom, ze zijn uitgesloten van het maatschappelijk verkeer.

Doodsoorzaken bij alcoholisten	
28%	cirrose
25%	keel- en strottehoofdkankers
16%	verkeersongevallen
9%	ongevallen binnenshuis en bij sporten
7%	zelfdoding
7%	acute complicaties (bloedingen, coma etc.)
2,5%	slachtoffer van doodslag
2%	tuberculose
1,5%	ongevallen tijdens het werk

Dagelijkse consumptie alcoholisten (in glazen wijn, bier en sterke drank)	
27%	minimaal 5
23%	5- 9
34%	10-19
12%	20-29
4%	> 30

IS ALCOHOLISME ERFELIJK?

Al in het oude Griekenland werd gedacht dat alcoholisme overgeërfd kon worden, met name van de kant van de moeder. Aristoteles voerde aan dat "alcoholische vrouwen kinderen krijgen die op hen lijken". En Plutarchus zei: "Een alcoholiste verwekt andere alcoholisten." Sedertdien zijn er talloze onderzoeken geweest en iedere keer weer was het moeilijk vast te stellen wat nu eigenlijk de invloed was van het gezin en van de sociale context.

De resultaten van al die onderzoeken en de daaraan verbonden conclusies luiden ongeveer als volgt:

- Wat betreft de invloed van het gezin is aangetoond dat een alcoholistische ouder het risico van alcoholisme bij mannen met een factor 5 en bij vrouwen met een factor 4 vergroot.

- Uit onderzoek onder tweelingen is gebleken dat als één van een eeneiige tweeling alcoholist is, de ander 54% meer risico loopt dit ook te worden, en bij twee-eiïge tweelingen is dit 31%.

- Onderzoek onder geadopteerde kinderen heeft het volgende opgeleverd. 18% van de mannelijke kinderen werd alcoholist als ten minste een van de biologische ouders alcoholist was, tegen 4% als de biologische ouders dat niet waren.

De meeste onderzoeken wijzen dus duidelijk in de richting van een zekere overerving van alcoholisme, met name bij mannen. In 1994 werd een gen zelfs als de hoofdschuldige aangewezen voor de overmatige consumptie van alcohol. In dat gen zou ook de aanleg voor vetzucht en drugsverslaving opgesloten liggen. Het kind van een alcoholist zou daarom een veel groter risico lopen een van de volgende drie vormen van wangedrag te ontwikkelen: alcoholmisbruik, drugmisbruik en voedselmisbruik (bijvoorbeeld snoepen).

Bij alcoholisme zullen erfelijke factoren zeker een rol spelen, maar deze zijn veelal secundair. Het blijft moeilijk een goed onderscheid te maken tussen wat aangeboren en wat aangeleerd is. De omgevingsfactoren schijnen toch veel meer bepalend te zijn.

In feite zouden we kunnen zeggen dat je door de erfelijkheid als het ware 'met het glas geboren' wordt, waardoor je vatbaarder bent voor de drank die de omgeving aanlevert. Maar uiteindelijk ben je het helemaal zelf die wikt en beschikt.

Daarom hoeft iemand die geboren is uit 'onmatige' ouders nog niet te wanhopen. Alleen wanneer zo iemand in ongunstige psychische of sociale omstandigheden terecht komt en bovendien een labiele persoonlijkheid heeft, is er gevaar.

KENMERKEN VAN ALCOHOLVERSLAVING

We kunnen ons afvragen of overmatig alcoholgebruik alleen een slechte gewoonte is of dat we hier te maken hebben met een echte verslaving, zoals bij drugs.

Een drug creëert afhankelijkheid en veroorzaakt ontwenningsverschijnselen bij onthouding, maar wordt tegelijkertijd ook goed verdragen door de verslaafde.

Bij een alcoholist is dit ook het geval. Er zijn er die dagelijks 200 tot 300 gram alcohol (20 tot 30 glazen) verdragen, terwijl bij een kleine drinker een geringere hoeveelheid al genoeg is voor een diep coma. Bij de ware alcoholist geeft zo'n hoeveelheid een toestand van alertheid, van slechte kwaliteit weliswaar, maar net genoeg om 'enigszins normaal' te kunnen blijven functioneren.
Alcoholisten zijn slechts voor 15% van de dodelijke ongelukken verantwoordelijk. 85% wordt veroorzaakt door gelegenheidsdrinkers. Dit geeft aan dat alcoholisten minder risico lopen, omdat ze over meer zelfcontrole beschikken. We kunnen hieruit opmaken dat de hersenen zich geleidelijk leren aanpassen aan de nieuwe situatie, in dit geval die van alcoholisme. Dit aanpassingsvermogen werkt in feite in het nadeel van de zieke die erover opschept nooit dronken te zijn. Daar ligt nu juist de kern van het probleem. Doordat hij drank goed verdraagt, kent de alcoholist de onaangename, alarmerende effecten van een te grote hoeveelheid alcohol niet.

De Wereldgezondheidsorganisatie heeft in 1975 een officiële definitie opgesteld van wat nu eigenlijk afhankelijkheid of verslaving is:
"Verslaving is een psychische en soms fysieke toestand die het resultaat is van een interactie tussen een levend wezen en een middel, en die gekarakteriseerd wordt door bepaalde gedragingen, waaronder altijd de dwanghandeling(*) deze stof periodiek of regelmatig te moeten hebben en gebruiken, om bepaalde psychische effecten te bereiken en soms ook om het ongemak van een onthouding tegen te gaan. Het is daarbij niet altijd zo dat de betrokkene het desbetreffende middel goed verdraagt."

Deze officiële definitie van afhankelijkheid is zeer belangrijk, omdat ze zich niet specifiek richt op een bepaald middel, wat wel het geval is bij de definitie van drugsverslaving. Ze legt veeleer een objectief verband tussen het middel (in dit geval alcohol) en de persoon (de alcoholist). Met andere woorden, er wordt niet gelet op de kogel waaraan de alcoholist ligt, maar alleen op de ketting.
Op deze wijze gedefinieerd wordt er geen direct verband gelegd tussen verslaving en de aard van het product. Iemand wordt nu als alcoholist bestempeld naar de mate van zijn onvermogen om zonder het middel te kunnen.

Met deze notie van afhankelijkheid wordt het product eigenlijk bijzaak. Het hoeft zelfs niet eens te bestaan. Hij die niet kan nalaten te spelen, zoals de dwangmatige gokker, is in zekere zin aan drugs verslaafd zonder drugs. Koste wat kost zoekt hij de kick waarvan hij de slaaf is geworden.

Gelet op deze afhankelijkheid is alcohol wel degelijk een harddrug.
De kans om na 3 maanden onthouding definitief af te komen van alcohol, tabak of heroïne is voor alle drie gevallen ongeveer gelijk;
zie grafiek op pagina 166.

(*) *Een dwanghandeling is een niet te stuiten impuls iets te doen dat indruist tegen onze wil en rede.*

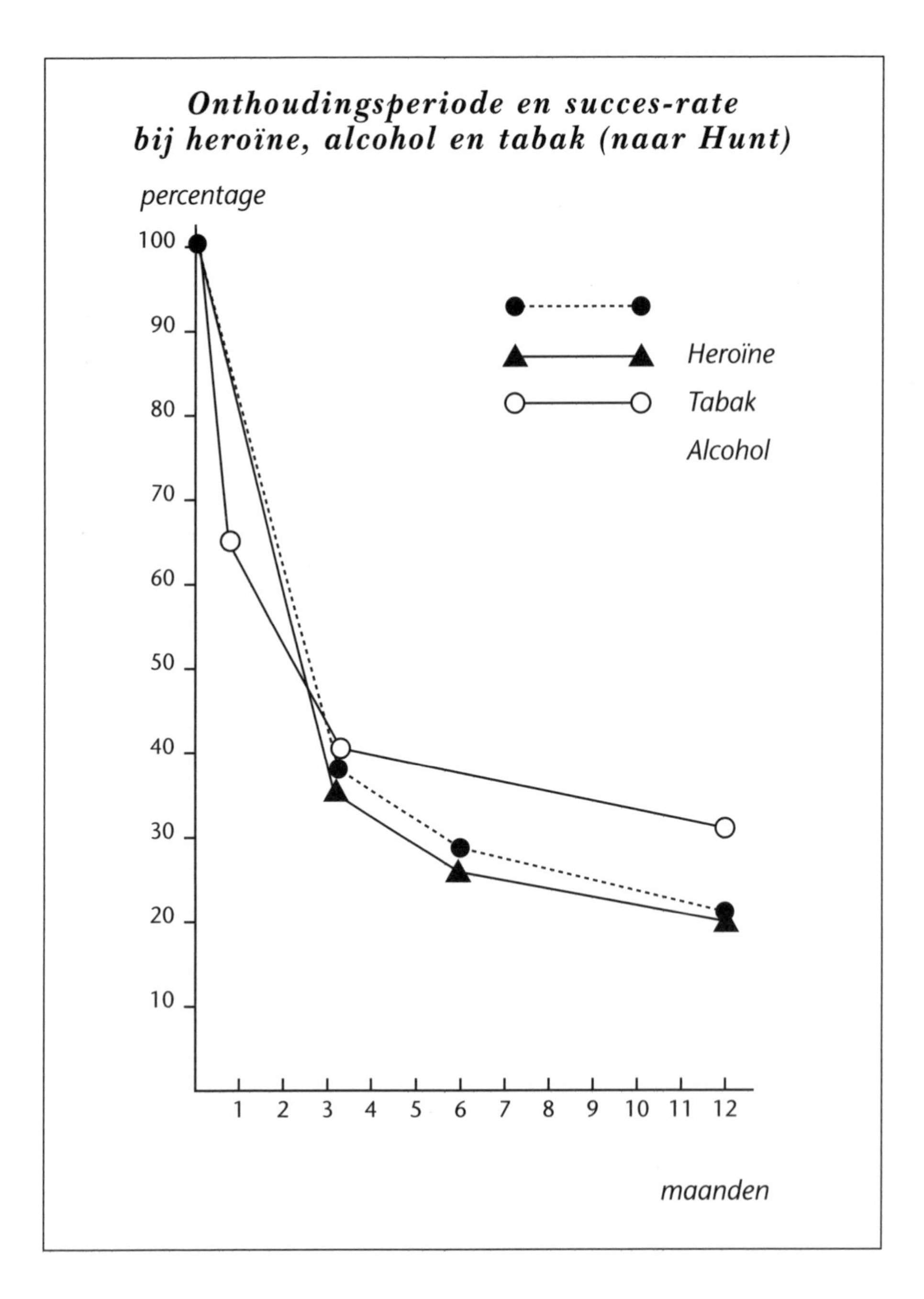
Onthoudingsperiode en succes-rate
bij heroïne, alcohol en tabak (naar Hunt)
percentage
100
90
80
70
60
50
40
30
20
10
1
2
3
4
5
6
7
8
9
10
11
12
maanden
Heroïne
Tabak
Alcohol

Alcoholverslaving berust op een aantal factoren:
- fysieke;
- erfelijke;
- psychische;
- socio-culturele.

Fysieke afhankelijkheid

De rol van het autonome zenuwstelsel

De mens heeft een *willekeurig zenuwstelsel* dat luistert naar de wil; daar wordt gekozen uit een aantal mogelijke handelingen welke hun uiteindelijke uitdrukking vinden in een bewust en gewenst gebaar.
Maar er bestaat daarnaast ook een *autonoom zenuwstelsel* dat een groot aantal lichaamsfuncties regelt waarop onze bewuste wil geen invloed kan uitoefenen zoals; hartslag- en ademhalingsritme, zuurstofverbruik, temperatuurregeling, afscheiding van hormonen en spijsverteringssappen etc. De bloedsuikerspiegel hoeft maar iets te dalen of het autonome zenuwstelsel bemerkt een hongersensatie en 'triggert' een bijna niet te onderdrukken drang naar voedsel.

Hierbij voegt zich bovendien het 'affectieve' brein dat aan de hand van genotservaringen uit het verleden onze keuze van voeding en drank bepaalt. Als het punt van verzadiging is bereikt volgt een periode van rust, totdat de volgende hongersensatie zich aandient. Dit voortdurend balanceren tussen 'te veel' en 'te weinig' is de basis van ieder regelsysteem (bijvoorbeeld de thermostaat).

Drinken volgt dit zelfde schema: de alcoholist voelt zich pas goed als hij een bepaalde hoeveelheid alcohol in zijn bloed heeft. Wanneer dat gehalte begint te dalen, krijgt hij een onbedwingbare behoefte aan een nieuw glaasje, om het tekort en de kwalijke gevolgen daarvan te onderdrukken.

Geleidelijk aan gaat het autonome zenuwstelsel ook de alcoholspiegel

van het bloed regelen, zoals het ook al doet met de zuurstof en suiker in het bloed en met de lichaamstemperatuur.

Dit regelsysteem is te vergelijken met een slingerbeweging. Om de zoveel tijd wordt bijv. de volgende boodschap geseind: 'Als je niet eet, zul je sterven.' Door het eten krijgt de slinger weer een duwtje waardoor de behoefte aan eten verdwijnt, maar hij zal onherroepelijk enkele uren later weer op het uitgangspunt terugkeren en de behoefte aan eten opwekken.

De alcoholist is goed vertrouwd met dit beeld van de slinger, met betrekking tot zijn behoefte aan alcohol; ook die keert steeds terug.

Zoals we gezien hebben regelt het lichaam van de alcoholist ook het gehalte aan alcohol in het bloed. Daarom geeft het lichaam van de alcoholist niet alleen waarschuwingssignalen als; 'Als je niet ademt, sterf je; als je niet eet, sterf je', maar ook: 'Als je niet gauw een glaasje drinkt, sterf je!'

Elke keer als zijn alcoholspiegel zakt moet de alcoholist deze tot iedere prijs weer omhoog zien te krijgen, ook al druist dit in tegen zijn wil en gezond verstand.

Het is alsof het autonome zenuwstelsel alcohol ziet als een levensnoodzakelijke voedingsstof.

Het autonome zenuwstelsel is als een robot, onvermoeibaar, en vanaf de geboorte 24 uur per dag in touw; het willekeurige zenuwstelsel is daartegen geen partij. De wil is daarom niet de aangewezen weg om deze fysieke afhankelijkheid te bestrijden.

Deze afhankelijkheid moet niet alleen gezocht worden in de alcoholspiegel van het bloed, verre van dat. Veel andere chemische lichaamsstoffen spelen hierin een rol.

Biochemische factoren

Serotonine

Serotonine is een neurotransmitter die verscheidene psychische factoren, zoals eetgedrag, sexueel gedrag, slaap en vooral depressiviteit, beïnvloedt.

Bij de alcoholist zien we dat de bloedplaatjes een groot deel van de serotonine 'afvangen'. Hierdoor wordt de serotonineconcentratie aan de synapsen (verbinding tussen de neuronen) lager en dit leidt tot een hogere alcoholconsumptie.

Vrije radicalen

Bij te veel alcohol worden vrije radicalen gevormd die door hun oxyderende werking de vetmembranen van de hersencellen beschadigen. Hierdoor wordt het aanpassingsvermogen van deze cellen verminderd.

Bij onthouding van alcohol kunnen deze zich daarom niet snel genoeg aanpassen aan de nieuwe fysiologische situatie en ontstaan de bekende afkickverschijnselen.

Dopamine

Ratten, die veel gebruikt worden in proeven, zijn in staat om zichzelf de meeste voor de mens verslavende middelen toe te dienen. Gebleken is dat de zenuwcellen van de meso-cortico-limbische zone van de hersenen, die dopamine afscheidt, een rol spelen bij de ontwikkeling en instandhouding van drugverslaving.
Evenals nicotine, cannabis, morfine en cocaïne is ook alcohol in staat deze hersencellen te activeren. Er is zodoende sprake van een soort 'beloningssysteem' van de hersenen.

Deze dopamineafscheiding, waardoor we ons lekker voelen, wordt ook geactiveerd door 'natuurlijke' prikkels, zoals voeding, seks en nieuwe

dingen. Daarentegen leidt stoppen met alcohol tot een te lage dopamineafscheiding en dit geeft weer afkickverschijnselen met de daaruit voortvloeiende behoefte aan het roesverwekkende middel.

Het steeds weer opnieuw drinken van alcohol gebeurt soms om de onaangename gevolgen van onthouding tegen te gaan, maar meestal omwille van de genotsbeleving die veel lijkt op die van de opiaten.

Dit genot versterkt het drinkgedrag en wordt steeds beter door het lichaam onthouden. Uiteindelijk geeft dit verlies van oordeelvorming en vrijwillig gedrag.

Zulke complexe verschijnselen als verslaving en tolerantie worden zeker niet door een enkele van de bovengenoemde factoren verklaard; er zijn er zeker meerdere tegelijkertijd in het spel.

Erfelijke factoren

(zie begin van dit hoofdstuk pag. 162 e.v.).

Psychische factoren

Bepaalde karaktereigenschappen werken het ontstaan van een verslaving bij het opgroeiende kind in de hand:

- als kind weerspannig, onbeheerst en vijandig tegen de moeder;
- extravert gedrag;
- impulsief tot agressief gedrag;
- concentratieproblemen (als kind misschien labiel en hyperactief);
- onvolwassen in de omgang, met fobische neigingen. (Alcohol zou hierbij remmingen weg kunnen nemen);
- sociale onaangepastheid (behoefte aan normoverschrijding);
- halsstarrigheid;
- zucht naar sterke prikkels en nieuwe ervaringen;
- toegeeflijkheid voor de eigen gedragingen;

- lage angst- en depressiedrempel;
- lage frustatiedrempel;
- niet tegen het minste conflict kunnen;
- afhankelijkheid van beloning;
- onrijp gevoelsleven en terugkeer naar het orale ('vreetkicks');
- gebrek aan eigenliefde (alcohol geeft almachtgevoelens);
- weinig assertief gedrag uit bezorgdheid anderen te kwetsen.

We moeten hierbij aantekenen dat deze tendenzen niet specifiek zijn en op zich nog niet tot alcoholmisbruik hoeven te leiden.

Angst en depressie zijn eerder de gevolgen van een alcoholverslaving dan de aanleiding daartoe.

Socio-culturele factoren

Elke mens behoort tot een groep, een milieu; de druk die daarvan uitgaat, bepaalt zijn verhouding tot alcohol.
Er is een wisselwerking tussen het 'aanbod' van de omgeving en de 'vraag' van het individu; de omgeving levert de mogelijkheden, waaruit het individu kiest.

Bij de sociale factoren spelen ook een rol:

- het gezinsmilieu;
- het schoolmilieu;
- de vriendschappen;
- de militaire dienst;
- het beroepsmilieu (in bepaalde beroepen is men meer blootgesteld aan regelmatige consumptie van alcohol).

Er kan ook een psychische afhankelijkheid ontstaan. Alcohol wordt immers gebruikt bij gezellig samenzijn en feestelijke gelegenheden:

- samenkomst met vrienden;
- familiefeest;
- ontvangst van een klant;
- herinnering aan de eerste prettige ervaring met alcohol.

Het profane drinken van alcohol gaat terug op het gewijde gebruik van wijn. Het is onderdeel van een culturele traditie die nog bijzonder levend is in Frankrijk waar wijn van oudsher geldt als de 'eigen' drank. Maar wijn is 'ouderwets' geworden en heeft geleidelijk plaats gemaakt voor de Engelse en Amerikaanse 'drinks' die meer macho zijn.

Het glas heffen heeft nog altijd een sterke symbolische betekenis.
Maar tegenwoordig heeft het, in Frankrijk althans, een meerwaarde dat te doen met sterke en dus 'nobele' drank en niet met een glas 'botte' rode wijn.
Tegenwoordig zie je bijna alleen de boer en de straatveger nog met een glas wijn in de hand. Alleen de mondaine champagne vindt nog gretig aftrek.

DIAGNOSE VAN EEN ALCOHOLVERSLAVING

Ook voor de naaste omgeving van iemand die overmatig alcohol gebruikt is diagnose van een eventuele alcoholverslaving niet gemakkelijk. Voor een arts is dat nog veel moeilijker, ondanks enkele herkenbare symptomen en de (overigens weinig betrouwbare) bloedtesten.
Er zijn een aantal kenmerken. Als de persoon in kwestie vaak en veel drinkt, het liefst sterke drank, en er niet van af kan blijven, moet er een rood lichtje gaan branden.
In een aflevering van de bekende televisieserie Navarro op TF1 ligt de beroemde commissaris overhoop met een jonge vrouwelijke rechter

van instructie die in haar onervarenheid een jonge verslaafde van moord beschuldigt, terwijl de geroutineerde speurneus Navarro van diens onschuld overtuigd is.
Onze oude rot in het vak is door dit alles zo neerslachtig geworden dat hij 's avonds laat zijn toevlucht zoekt in de op en top Parijse kroeg van zijn vriendin Ginou die juist de zaak aan het sluiten is.

Ze ziet in welke stemming hij verkeert, en zijn natuurlijke aversie van limonade kennende haast Ginou zich hem een glas sterke drank in te schenken, zoiets als cognac of calvados.
Navarro drinkt het in een teug leeg en zegt dan: “Heb je toevallig niks sterkers?” “Ja”, antwoordt Ginou, “maar dat gebruik ik om mijn ramen mee te wassen.”

Er wordt stevig gedronken in deze serie. Een van de hoofdrolspelers, inspecteur Auquelin, heeft altijd een zakflesje cognac bij zich heeft waarvan de grote baas, commissaris Walts, graag en geregeld gebruik mag maken.

Iedere keer als Navarro na gedane arbeid thuiskomt, staat zijn dochter Jolanda klaar om hem een dubbele whisky in te schenken die hij dan, kennelijk uit gewoonte, in één teug op zijn nuchtere maag leegdrinkt. Dit soort drinkgedrag treffen we ook aan in andere bekende t.v. series, b.v. Dallas.

Is Navarro daarom een alcoholist? Om deze vraag te beantwoorden moeten we weten hoeveel hij dagelijks drinkt. Blijkbaar meerdere glazen sterke drank (laten we zegen 2 tot 3, wat boven de norm ligt), maar ook nog wijn (3 glazen bij iedere maaltijd, oftewel 1 fles per dag).
Daarmee is hij ontegenzeglijk een overmatige drinker. Maar om te weten of hij een echte alcoholist is, en dus afhankelijk van alcohol, zouden we hem eigenlijk 2 tot 3 dagen moeten droogleggen en zijn gedrag observeren. En met name nagaan of hij tot dezelfde prestaties in staat is als hij mineraalwater drinkt, wat te betwijfelen valt.

Want Navarro is al op leeftijd (bijna 60) en we kunnen ons gemakkelijk voorstellen dat hij zo al jaren drinkt.
De kans is daarom niet uitgesloten dat hij slecht buiten drank kan en dat we de verrassende en teleurstellende waarheid ontdekken dat hij inderdaad een alcoholist is. Wanneer we bedenken hoeveel risico dit voor zijn gezondheid oplevert, kunnen we alleen maar het ergste vrezen voor de pensionering van onze favoriete commissaris; de kans is groot dat wil hij niet voortijdig het leven laten, hij de rest van zijn leven afhankelijk zal blijven van medicijngebruik.

Navarro's geval is geen uitzondering, zeker niet bij de politie waar veel gedronken schijnt te worden, ongetwijfeld om het werk met liefde te kunnen doen. Alle televisieseries (de scenarioschrijvers stellen er een eer in waarheidsgetrouw te zijn) onderstrepen dit met nadruk. Alcohol blijkt een onmisbare ondersteuning voor echte mannen in de uitoefening van hun moeilijke en zelfs avontuurlijke taak.
De Amerikanen hebben ons al lang geleden bijgebracht dat de helden van de westerns, de cowboys, rechtshandhavers en sheriffs, die hunkerden naar een goed gevecht, nooit op het scherm hadden kunnen sterven met een glas melk in de hand.

Behalve de politie (waar de legendarische afhankelijkheid van alcohol overigens nog bewezen moet worden) zijn er ook beroepen waarbij het veeleer gewoonte dan noodzaak is om regelmatig mee te drinken; doet men daar niet aan mee, dan is de kans groot dat men gauw uit de groep ligt.

Geleidelijk en onbewust wordt men in deze beroepen bijna gedwongen om dagelijks te veel te drinken omdat het steeds beter verdragen wordt. Totdat men op een dag alcoholist is geworden zonder het te weten.

HET GEVAAR VAN GEDESTILLEERD

Uit beleefdheid en gezelligheid en uit sociale overwegingen drinken beschaafde mensen op de vriendschap of ter gelegenheid van een ontmoeting of een feest.

De etiquette vereist dat de gastheer zijn genodigden vòòr de maaltijd een aperitief aanbiedt.

Enkele tientallen jaren geleden bestond de vriendschapsdronk, het aperitief en de eredronk uit rode of witte wijn, die qua leeftijd en kwaliteit varieerde naargelang het sociaal-culturele (en vooral economische) niveau van de groep.

Tegenwoordig is wijn in bijna alle milieus op zijn retour.
Een zeker snobisme is niet vreemd aan het feit dat wijn vervangen is door met name buitenlandse sterke drank.

Een Fransman zal het nooit in zijn hoofd halen cognac, armagnac of calvados te drinken als aperitief, maar de naaste verwanten whisky, gin en wodka zijn helemaal 'in'. Amerikanen en vooral Japanners hebben hunnerzijds geen enkele moeite deze Franse digestieven als aperitief te drinken.

Hoe dan ook, of het nu om binnen- of buitenlandse alcohol gaat, het komt op hetzelfde neer: het is gedestilleerde sterke drank met een alcoholpercentage van meer dan 40%!

Sterke drank, liefst nog op de nuchtere maag en midden op de dag (of 's nachts), en met name voor de maaltijd, is een zeer slechte gewoonte die we om meerdere redenen moeten afkeuren.

Ten eerste tast het **de stofwisseling** (en dus de gezondheid) aan.
In hoofdstuk VII hebben we gezien dat sterke drank de afscheiding

van spijsverteringssappen verstoort, terwijl wijn dit stimuleert. Met sterke drank stopt deze afscheiding abrupt.

Ten tweede omdat een gul glas whisky *veel te veel alcohol* vertegenwoordigt; één zo'n glas staat voor een heel dagrantsoen matig gedronken wijn bij het eten.

Toch komt het regelmatig voor dat iemand als aperitief twee behoorlijke glazen whisky drinkt. Hij en zijn directe omgeving zouden eens moeten weten dat hij aan alcohol dan al het equivalent van een hele fles wijn van 75 cl op heeft!

Vaak zijn dit juist ook degenen die bij het eten graag drie, vier of zelfs vijf of zes glazen wijn tot zich nemen en na de maaltijd nog een stevig glas sterke drank als digestief.

Kent u van die mensen in uw directe omgeving, weet dan dat ze in gevaar verkeren. Het zijn of *gelegenheidsdrinkers* die niet gewend zijn aan zoveel alcohol en onherstelbare schade kunnen aanrichten of oplopen, met name als ze achter het stuur gaan zitten; of ze *'kunnen tegen een stootje'* omdat dit dieet voor hen bijna dagelijkse praktijk is. Maar u kunt er donder op zeggen dat als ze al niet reeds verslaafd zijn, ze in ieder geval potentiële alcoholisten zijn die daartoe al de eerste stap gezet hebben.

Daarom moet er alles aan gedaan worden om deze sociale gebruiken te veranderen en het gebruik van wijn als aperitief aan te moedigen; of van champagne als we dat kunnen betalen. Ook crémants zijn goed en bovendien 2 tot 3 keer goedkoper.

DE BEHANDELING VAN ALCOHOLISME

Begrip voor alcoholisme

In een enquête van IPSOS in 1991 werd onderzoek gedaan naar de visie van het publiek op alcoholisme.

Op de vraag of overmatig alcoholgebruik een zwakheid of een ziekte is, waren de antwoorden als volgt:

51% zwakheid;
43% ziekte;
2% gaf een ander antwoord (een keuze, een toevalligheid door gebrek aan ondersteuning);
4% had geen mening.

Bij de vraag hoe men er het beste van af kan komen, luidde het antwoord:

49% de alcoholist moet het zelf willen;
22% de steun van de directe omgeving;
14% ontwenningskuur;
9% de AA moet helpen;
4% behandeling door een arts;
2% geen mening.

Dit getuigt van een verkeerde kijk op de werkelijkheid.
Want de bestudering van de alcoholproblematiek heeft ons laten zien dat zodra het lichaam afhankelijk is geworden, we moeten spreken van een echte ziekte die als zodanig behandeld dient te worden.
Omdat er sprake is van lichamelijke afhankelijkheid van een middel en het autonome zenuwstelsel sterker is dan het willekeurige zenuwstelsel, is het een illusie te denken dat we ons van alcoholisme kunnen bevrijden door het alleen maar te willen.

Deze onbekendheid van het grote publiek met de mechanismen van verslaving is echt een probleem, want hierdoor consulteert men minder snel een specialist.
De alcoholist zal een tijdlang wilskrachtig proberen om in zijn eentje met drinken te stoppen. Helaas vergeefse moeite, want hij wil het onbeheersbare beheersen; het autonome zenuwstelsel zal het altijd winnen van het willekeurige.

Deze mislukkingen zullen zijn toch al geknakte zelfvertrouwen en eigenliefde alleen maar een extra knauw geven.

Wie helpt?

In de eerste plaats moet iemand bij zichzelf te rade gaan, dat wil zeggen dat hij in alle nederigheid moet erkennen dat de alcohol hem in de greep heeft.
Vervolgens kan hij het beste de hulp inroepen van een specialist. Zo'n stap is altijd makkelijker te nemen wanneer hij zich bewust is van de toestand waarin hij verkeert.

Op zo'n moment kan hij het beste naar iemand toestappen die zich gespecialiseerd heeft in de alcoholproblematiek.

Huisartsen hebben vaak weinig of geen expertise op dit terrein. Daarom kunnen ze maar moeilijk met het complexe verslavingsprobleem uit de voeten.

Een verslavingsconsulent is arts of psycholoog.

Hij of zij is vaak verbonden aan een Bureau ter bestrijding van alcohol en drugs of andere daarin gespecialiseerde stichtingen.[1)]

[1)] *In Nederland is er de Nederlandse Vereniging van Instellingen in de Verslavingszorg NEVIV, in Utrecht: tel. 030 - 276 99 05*
In Vlaanderen is er de Vereniging Alcohol en andere Drugproblemn, de VAD in Brussel: tel. 02 - 422 49 69

Hoe ziet zo'n behandeling eruit?

Een behandeling dient in de eerste en voornaamste plaats te bestaan uit een goed gesprek in een sfeer van wederzijds vertrouwen.

De therapeut moet zijn patiënt uitleggen dat alcoholisme in tegenstelling tot het heersende vooroordeel geen ondeugd is, maar een ziekte die ook als zodanig behandeld moet te worden. Om ervan af te komen moet de patiënt de afhankelijkheidsmechanismen begrijpen. Hij moet weten dat tijdens de behandeling voor zijn wilskracht geen enkele rol is weggelegd in de strijd tegen deze fysieke afhankelijkheid. Er treft hem dus geen blaam dat zijn eigen pogingen in het verleden tot mislukken gedoemd waren.

De behandeling moet tevens psychologische steun bieden.

De alcoholist moet zichzelf weer leren waarderen; zijn 'ik' moet versterkt worden met een injectie van eigenliefde.

Via cognitieve en gedragstherapie moet gewerkt worden aan het veranderen van automatismen en vooral aan het leren omgaan met geheelonthouding in gezelschap.

De motivatie hiertoe moet zeker niet bestaan uit angst voor de gevolgen van het alcoholverslaving, maar door de voordelen van geheelonthouding.

Freud noemt in zijn boek 'Das Unbehagen in der Kultur' de drie spillen waaromheen de menselijke lustbeleving draait:

- werk;
- creativiteit;
- drugs (alcohol, tabak, cannabis, morfine etc.).

Omdat de alcoholist zich van de component drugs moet ontdoen, moet hij zijn energie in een van de andere componenten leren investeren.

Hij moet zich met name afvragen wat hem in het leven werkelijk interesseert en hoe hij het liefst zou willen leven. Dat moet hem de kracht geven definitief te breken met die 'geweldige kameraad' alcohol.

Het is belangrijk en zelfs noodzakelijk alcohol te vervangen door iets anders. De alcoholist moet weer iets vinden om voor te leven.

Zo'n positieve en constructieve stap is moeilijk in je eentje. Ondanks alle goede bedoelingen loopt hij gauw weer het gevaar van de rechte weg af te wijken, zeker als we bedenken dat de oude vriendenkring weinig hulp zal bieden. Daarom is het beter om steun te zoeken bij andere ex-drinkers (Anonieme Alcoholisten e.a.).

De onthouding moet acuut en totaal zijn.

Niet meer drinken wil zeggen: niet langer de slinger in beweging zetten. Allengs verdwijnt dan de behoefte aan drank. Op die manier wordt er een knop in het autonome zenuwstelsel omgedraaid en ziet dit drinken niet meer als levensnoodzakelijk.

Dit zelfde gaat ook op voor voedsel; hongerstakers bijvoorbeeld merken na een paar dagen dat het hongergevoel verdwijnt.

De ontwenning kan plaatsvinden tijdens een ontwenningskuur in een gespecialiseerd instituut, maar alleen wanneer de alcoholist dat per se zelf wil. Het mag absoluut niet zo zijn dat de therapeut de patiënt daartoe dwingt. Zo'n abrupte plaatsing in een onbekende en a priori vijandige omgeving geeft extra stress en kan de vertrouwensrelatie tussen therapeut en patiënt ernstig schaden.

Met behulp van geneesmiddelen en een goede psychologische ondersteuning kan zo'n ontwenningsfase ook thuis, zonder ziekenhuisopname, plaatsvinden. Maar dan moet hij wel een paar dagen stoppen met werken.

Medicijnen op zich hebben geen enkel nut. We mogen er niet van uitgaan dat die in hun eentje alcoholisme kunnen behandelen.
Ze hebben wel hun plaats in het kader van een totaalaanpak, die minstens een jaar moet duren.

Het aantal mislukkingen is groot; helaas laat de 'roep van de alcohol' zich elke dag horen. De door alcohol veroorzaakte veranderingen in de biochemie van het lichaam kunnen jaren blijven voortbestaan, waardoor de ex-alcoholist elk moment in zijn oude gedrag kan terugvallen als hij niet heel zijn leven strikt geheelonthouder blijft.

Daarom is het voor zo iemand bijna onmogelijk een matig drinker te worden. Want zelfs al is hij in geestelijke zin redelijk geworden, lichamelijk blijft hij altijd kwetsbaar.

***Daarom is de enige goede oplossing;
het voorkomen van alcoholverslaving!!***

PREVENTIE

Aan het eind van de 20ste eeuw kan en mag de geneeskunde zich niet meer uitsluitend bezighouden met het genezen van zieken zoals ze dat de afgelopen 40 tot 50 jaar heeft gedaan.
Ze moet beslist ook aan preventie gaan doen, al was het maar vanwege de steeds stijgende ziektekosten.

Behandeling van een *bestaande alcoholverslaving* is een vorm van tertiaire preventie; hopelijk is men nog net op tijd om ernstige lichame-

lijke complicaties en een vroegtijdige dood te voorkomen.
Secundaire preventie houdt in dat men *de risicogroep van vaak al overmatige drinkers opspoort*, als ze nog niet verslaafd zijn aan alcohol.
Hierin is een belangrijke rol weggelegd voor de huis- en bedrijfsarts; zij moeten erover waken dat zo iemand niet verslaafd wordt.
In bepaalde beroepen zijn ook de vakbonden bij deze problematiek betrokken.

Primaire preventie is essentieel, dat wil zeggen: *voorlichting over alcohol, en met name de jeugd onderricht geven* hoe zij op een goede manier met alcohol moeten omgaan.

Deze 'kunst van het drinken' achten wij de beste preventie van de ziekte van het alcoholisme, die veel andere ziekten veroorzaakt in onze moderne samenleving en nog altijd te veel levens eist.

HOOFDSTUK 10

Leren drinken

In de jaren '60/'70 was sexualiteit nog altijd taboe. De gehele mentaliteit was nog doortrokken van een achterlijk en op burgelijk-christelijke uitgangspunten gebaseerd puritanisme. Meisjes uit de betere families werden zwanger zonder dat ze wisten wat hun overkwam en onze soldaten ontdekten naast het slagveld de venerische ongemakken van hun escapades tijdens hun verlof.
Het onderwerp werd slechts met bedekte termen aangeduid, en nuttige aanwijzingen werden slechts tersluiks of in schuine moppen gegeven.

Maar gelukkig realiseren we ons al geruime tijd dat ongewenste zwangerschappen en besmettelijke sexuele aandoeningen voorkomen kunnen worden door voorlichting aan de jeugd. Zo ontstond de sexuele voorlichting op onze scholen.

Hoe staat het nu met de voorlichting over de gevaren van onze voeding?

Is het mogelijk om op onze scholen een goede, nuttige en objectieve voorlichting over dit onderwerp te geven, wanneer onze artsen zelf

nog geen of maar weinig opvoeding hebben genoten in dit onderwerp en dit gaarne overlaten aan andere instanties?
De informatie over onze voeding is heden ten dage nog grotendeels in handen van de voedingsmiddelenindustrie en derhalve geheel en al gericht op het eigen economische belang.

Over alcoholhoudende dranken wordt helemaal geen informatie gegeven, of zeer gebrekkig. Dit onderwerp is nog taboe is en wordt puriteins benaderd.

De maatregelen die in een aantal westerse landen zijn genomen, met name in Frankrijk in de Wet EVIN, getuigen van neo-prohibitionisme. In plaats van het echte probleem aan te pakken - te weten overmatig alcoholgebruik door een kleine minderheid - heeft deze wet er alleen maar toe geleid dat de meerderheid, die toch al niet veel dronk, minder wijn is gaan drinken. En dat terwijl de positieve gevolgen van een gematigd wijngebruik wetenschappelijk steeds meer worden onderbouwd. Het aantal overmatige drinkers en met name alcoholici is ondanks de campagnes gelijk gebleven, maar het misbruik bij jongeren baart steeds meer zorgen.

Een waarachtige bevordering van de volksgezondheid vereist de juiste informatieverstrekking binnen het kader van een preventief beleid.

HET GEVAAR VOOR DE JEUGD

In het medisch dagblad 'Le Généraliste' van 21 juni 1996 stond een artikel getiteld: "Alcohol, op zoek naar een nieuwe kick" dat begon als volgt: "Sinds een paar jaar zien we een massale stijging van het alcoholgebruik bij de jeugd die daarmee geen andere bedoeling heeft dan dronken te worden".

Dit geldt niet alleen voor Frankrijk maar ook voor veel andere landen. Met name in de Verenigde Staten vindt op de universiteits-campus de laatste jaren een verontrustende herleving van het alcoholgebruik plaats.

Er is onderzoek verricht in Frankrijk dat inzicht geeft in het gebruik door de jeugd van alcohol in het algemeen, en van wijn in het bijzonder.

Alchoholgebruik door jeugd van 16 tot 20 jaar	
Drinkt nooit	16%
Drinkt één maal per week	50%
Drinkt meerdere keren per week	28%
Drinkt elke dag	6%

Dit duidt op een sterke trend bij de jeugd om in het weekend en met vrienden "uit hun dak te gaan" met alcohol. Ze willen zich één avond in de week goed bezatten en streven niet naar een gematigd, regelmatig gebruik.
Er zijn onthullende gegevens over het voorkomen van dronkenschap bij de jeugd:[1]

1992: **Dronkenschap bij jeugd tussen 15 en 22 jaar:**

5% is 'dikwijls' dronken (meerdere keren in het trimester

20% is tenminste 1 maal dronken geweest de laatste 3 maanden

33% is tenminste 1 keer dronken geweest vóór hun 16e levensjaar.

[1] *Voor gegevens in Vlaanderen: zie bijlage 7*

1993: **Jongeren die méér dan 1 maal per maand dronken zijn:**

18%	van de leerlingen in het vakonderwijs
30%	van de leerlingen in het VWO
31%	van de dienstplichtige militairen.

1994: **Jongeren die voor het eerst dronken zijn:**

5%	tussen hun 12e en 13e jaar
18%	tussen hun 14e en 15e jaar
33%	tussen hun 16e en 17e jaar
49%	op hun 18e jaar (gemiddeld 6 maal per jaar).

Bijzonder verontrustend is de ontwikkeling over een aantal jaren gezien. In 10 jaar tijd (1978 - 1988) is het aantal gevallen dat jongeren tussen 15 en 19 jaar meerdere keren dronken was, verdrievoudigd.
Het is belangrijk om te weten, met welke drank de jeugd zich benevelt. Dit blijkt duidelijk uit onderzoek: met bier en sterke drank. Een onderzoek uit 1991 wijst uit dat de jeugd 2,5 keer zoveel bier en 3,5 keer zoveel sterkere drank drinkt dan wijn.

Want wijn drinken is volgens de jeugd 'uit'. Buiten het weekend drinken ze naast water vooral allerlei softdrinks (cola, tonics ...). In het weekend storten ze zich op bier en vooral sterke drank.

Gevraagd naar de redenen waaròm ze drinken, antwoordden leerlingen uit het VWO (1993) als volgt:

- 52% voor de lol
- 48% om te vergeten
- 30% om 'uit de band' te springen.

We zouden ons de vraag moeten stellen, wie voor deze miserabele situatie verantwoordelijk zijn en wat er moet gebeuren om dit weer ten goede te keren.

HOOFDSTUK 10

DE VERANTWOORDELIJKEN

Het probleem van het jeugdalcoholisme moet gezien worden in het kader van het totale alcoholprobleem en van de mentaliteit en het beleid, zoals deze zich de laatste jaren hebben ontwikkeld.

De volgende - waargebeurde - geschiedenis geeft hierover veel informatie:

Simon is zeventien jaar en komt uit een 'goede' familie in Bretagne. Hij is voor zijn laatste jaar op school, intern, en deelt daar een kamer met Charles, zoon van een kleine industrieel uit de Bordeaux. Beiden kunnen goed met elkaar opschieten en met Kerstmis nodigt Charles zijn vriend uit om een week bij hem en zijn familie door te brengen. De vader van Charles heeft een kelder met de beste Bordeaux-wijnen. Hij heeft een drukkerij en levert de etiketten voor veel grote wijnhuizen. De moeder van Charles kent als kok haar gelijke niet en staat op een niveau dat in de franse provincie met hun rijke gastronomische geschiedenis nog dikwijls wordt aangetroffen.
Bij Charles thuis wordt bij het eten altijd wijn gedronken, maar met mate. De kunst van het drinken is onderdeel van de opvoeding en er wordt eerder geproefd dan gedronken. De kinderen zijn in deze kunst al vroeg, vanaf hun tiende jaar, ingewijd en hun vader heeft hen de verschillende crus en druivesoorten in geringe of verdunde hoeveelheden laten ontdekken, niet alleen de grote wijnen van hun eigen streek, maar ook van de andere wijngebieden in Frankrijk en daarbuiten. Met zijn zeventien jaar doen Charles en zijn één jaar jongere zuster voor geen enkele sommelier onder.
Het is zondag en zoals altijd haalt de vader van Charles een paar bijzondere flessen uit zijn kelder, voor de verdere opvoeding van zijn kinderen, maar deze keer ook ter ere van Simon die vandaag mee eet.
Bij het opdienen van een enorme schaal oesters uit de streek, haalt papa een fles witte wijn uit de ijsemmer, waarvan hij het etiket zorgvuldig bedekt. "Beste kinderen", zegt hij en kijkt quasi-streng de kring

rond, "ik heb hier een premier cru, waarvan jullie me gaan vertellen waar hij vandaan komt, hoe hij heet, van welke druiven hij gemaakt is, uit welk jaar hij komt, en je moet hem ook beschrijven." En hij schenkt ieders glas halfvol.
Simon is van nature niet timide en wordt bevangen door paniek nu hij elk lid van deze vreemde familie het glas ziet nemen. Ze draaien dat vervolgens snel rond, steken hun neus erin, snuiven wat op, drinken een paar slokjes en vertellen vervolgens aan de pater familias, die dit met genoegen aanhoort: "Bourgogne, Chablis ... 1992 ... Chardonnay ... bleekgeel, rijke en krachtige neus ... passievrucht ... langaanhoudende finale ..."
"Uitstekend, heel goed ... ik ben trots op jullie", zegt Charles vader. En dan valt er ineens een diepe stilte; heel de familie ziet ineens dat Simon zijn glas niet heeft beroerd en als een mummie achter zijn bord gekluisterd zit.
"Wel Simon", zegt Charles vader alsof hij tot een klein kind spreekt, "hou je niet van Chablis?" "Ik heb nog nooit wijn gedronken, mijnheer" is het antwoord.
"Maar bij jullie thuis drinken je ouders toch wel eens wijn?" "Nee! Misschien als ze uitgaan, maar thuis is er nooit wijn. Mijn moeder is anti-alcohol, ze zegt dat er al genoeg alcoholici zijn in Bretagne en dus wil ze niet dat er gedronken wordt."
"Wat triest!" Het ontsnapt de moeder van Charles alsof zijn vriend hun vertelde dat hij aids had.

Twee dagen later gaat Charles naar de verjaardag van zijn nichtje Sophie en ook Simon is uitgenodigd. Al gauw mengen beiden zich onder de andere gasten. Na een paar uur vindt Charles het tijd om op te stappen en gaat Simon zoeken. Hij vindt hem, compleet bezopen, aan de bar. "Hij heeft misschien nog nooit wijn gedronken", zegt Sophie ironisch, "maar van whisky weet hij alles."

Gedurende de rest van het schooljaar merkt Charles, dat Simon, elke keer dat hij uitgaat, aangeschoten terugkomt. Daarom begint hij wat

afstand te nemen, maar ze zijn wel verplicht om voor de rest van het schooljaar dezelfde kamer te blijven delen.

Dan wordt Charles uitgenodigd door zijn kamergenoot om een weekend door te brengen bij hem in Bretagne. Uit nieuwsgierigheid accepteert hij de uitnodiging; hij wil die waterdrinkende ouders wel eens zien!
De vader van Simon was rechter en heeft een streng en hoekig gezicht. Het grootste deel van zijn leven verdeelde hij tussen de rechtbank en een klein zolderkamertje, waar hij zijn postzegelverzameling houdt.
De moeder past daar uitstekend bij: ze ziet er bedroefd uit, altijd in het zwart, purteins en bovendien ook nog snibbig. Ze eten er in de keuken, uit blik of kant-en-klaar schotels uit de microwave. "Eten is tijdverlies", zegt ze en het is duidelijk dat ze in die bezigheid geen lol in heeft.
Alcohol is voor haar de grote boosdoener en ze is actief in een geheelonthoudersvereniging.
Charles meent te zien dat de ogen van papa steeds glinsteren telkens wanneer hij uit zijn postzegelverzameling komt en dat hij dan steeds gretig wat zoethout kauwt, zelfs vlak voor tafel.
"Het zou me niet verbazen dat hij stiekum drinkt", dacht Charles.
En dit werd wat later door een vriendin des huizes bevestigd.

Maupassant had zich kunnen laten inspireren door deze geschiedenis. Zij onthult een bedroevende situatie, waarvoor het morele en vooral het politieke gezag van Frankrijk direkt verantwoordelijk is vanwege hun manier van communiceren over alcohol.

Er is een **negatieve** neo-prohibitionistische boodschap: "Alcohol is gevaarlijk en moet verboden worden". Dit verbod zet alleen maar aan tot overtreding van het verbod en opent de deur naar misbruik van sterke drank.

Er is ook een **positieve** boodschap mogelijk, die gebaseerd is op de culturele, gastronomische en van nu af aan ook geneeskundige aspecten van wijn. Deze boodschap is gericht op de natuurlijke preventie van misbruik.

Om zich hiervan te overtuigen hoeven onze franse autoriteiten alleen maar te kijken naar de statistieken over alcoholisme in Frankrijk. Het is frappant te constateren dat dit omgekeerd evenredig is aan het belang van de wijnbouw in een streek. Met andere woorden: naarmate in een streek meer wijn wordt verbouwd, zoals in Bordeaux of Bourgogne, is het alcoholisme minder. Alcoholisme is het hoogst in streken waar geen wijn geproduceerd wordt, met name in het Noorden en in Bretagne.

De algemeen direkteur van het "Office Internationale de Vigne et du Vin", Robert Tinlot, vertelde ons: "Als direkteur van een lyceum in het Noorden, in de streek van Calais, had ik serieuze problemen met alcoholisme onder de jeugd. Vanaf het moment dat ik benoemd werd in Macon, in de Bourgogne, was dat voorbij".

Deze uitspraak ondersteunt de aanname dat informatie, opvoeding en de cultuur van het wijndrinken de beste manier is om alcoholmisbruik te voorkomen. Een studie over de Bordeauxstreek is vanuit dit oogpunt bijzonder interessant.

In deze streek is het aantal sterfgevallen als gevolg van overmatig alcoholgebruik het laagste van heel Frankrijk (28% minder dan het nationaal gemiddelde).
De gemiddelde levensduur is langer, omdat er minder ziekten en ongelukken voorkomen
Het aantal hart- en vaatziekten (m.n. infarcten), zelfmoord en geestesziekten is duidelijk lager dan het nationaal gemiddelde.

HET NEO-PROHIBITIONISME

Van 1919 tot 1933 blies de wind van het prohibitionisme door de Verenigde Staten, alsook in Noorwegen en Finland. De verkoop en consumptie van alcoholhoudende dranken werd verboden of zeer strikt gereglementeerd.

Het resultaat was desastreus. Geheel tegengesteld aan de bedoeling van 'de drooglegging', steeg de consumptie van alcohol in deze periode aanzienlijk. Nog erger was, dat de produktie en de verkoop van klandestiene alcohol door de maffia een geheel buiten de wet staande parallel-economie schiep, die gepaard ging (zie de film 'De onkreukbaren') met bloedige onderlinge afrekeningen en schandalen.

Regeringen zouden moeten weten dat het verboden moest zijn om alcohol te verbieden! Elke maatregel om het alcoholmisbruik terug te dringen moet daarom gebeuren in samenspraak met alle relevante disciplines. Dat is nu precies wat minister EVIN niet gedaan heeft toen hij in 1991 zijn wet indiende; deze is het voorbeeld bij uitstek van onzorgvuldige wetgeving, die alleen maar negatieve gevolgen heeft.

De opstellers van de Wet EVIN in 1991 onder de regering van Michel Rocard wilden het alcoholisme bestrijden, d.w.z. het overmatig gebruik van alcoholhoudende drank **door een beperkt aantal personen**. Zij dachten dat te bereiken door het uitvaardigen van maatregelen die de publiciteit van **alle alcoholhoudende dranken aan banden legt.** Een onderzoek in 1994 wees uit dat 85% van alle Fransen de wet niet doeltreffend vond. Bij verdere analyse blijkt dat de wet wèl een slecht effect heeft op de franse economie.

De Wet EVIN is geïnspireerd door de hygiënistische traditie die alcohol beschouwt als een exogeen gevaar; een gevaar dat het individu van buiten bedreigt. In deze opvatting is het produkt zelf het eigenlijke probleem en niet het gebruik ervan, alsof alle burgers gelijk zijn wat

betreft het gevaar van alcohol. Dat is níet zo, eerder het tegendeel is waar.
Het is een beetje als wanneer we in alle huizen het gas afsluiten, omdat gas gevaarlijk is! Terwijl ongemak of gevaar alleen ontstaat, omdat sommige mensen het gas niet goed gebruiken. Informatie en opvoeding blijken de beste oplossing en niet het plaatsen van het desbetreffende produkt op de verbodslijst.

De Wet EVIN doet juist het tegenovergestelde van wat er zou moeten gebeuren, door het opleggen van beperkingen, en met name een reclameverbod. Men heeft zich dus direkt op het produkt gericht, in plaats van de dialoog aan te gaan over de risico's van een slecht gebruik dat sommigen er van kunnen maken.
Op deze manier heeft de Wet EVIN niet, zoals de bedoeling was, de uitwassen bestreden, maar heeft het gebruik van alle alcoholhoudende drank verminderd, met name wijn. We hebben gezien dat wijn in Frankrijk niet leidt tot misbruik terwijl het goede effect op de gezondheid de laatste jaren wetenschappelijk is komen vast te staan.
Daarnaast betekent de Wet EVIN een ware zelfmoord voor het franse bedrijfsleven. Ze verbiedt de promotie van franse produkten, met name wijn, op het eigen grondgebied en verzwakt daarmee niet alleen de eigen interne markt, maar ook het aanzien elders van onze franse merken.

In 1990, bij de Wereldkampioenschappen Voetbal in Italië kon iedereen de reclame zien voor italiaanse wijnen.
In 1998 organiseert Frankrijk de Wereldkampioenschappen, maar het zal, dankzij de Wet EVIN, verboden zijn om in het stadion van St. Denis de grote franse wijnmerken te afficheren. De aldus vrijkomende plaats zal zeker worden ingenomen door Coca-Cola, Schweppes en Canady Dry, producten die allesbehalve goed zijn voor de gezondheid.

ANTI-WIJN CAMPAGNES

Sinds 15 september 1995 geldt in Frankrijk de norm van 0,5 g/l voor de maximaal toegestane hoeveelheid alcohol in het bloed. Dit maximum stond jarenlang op 0,8 g/l en was in juli 1994 nog verlaagd naar 0,6 g/l.
De beslissing om van 0,7 g/l te gaan naar 0,5 g/l was noodzakelijk vanwege de harmonisering van de europese wetgeving. De desbetreffende autoriteiten stellen dat deze verdere beperking van het alcoholgehalte aan het stuur gesteund wordt door een grote meerderheid van de bevolking.

Wanneer men weet dat 40% van de bestuurders die betrokken zijn bij dodelijke auto-ongelukken, teveel alcohol in hun bloed hebben, dan kunnen we niet anders dan erkennen dat hier voorschriften nodig zijn.

De statistieken laten vanaf een promillage van 0,7 g/l een duidelijk evenredig verband zien. Bij 1,2 g/l heeft de bestuurder 3,5 keer zoveel kans een ongeluk te krijgen dan wanneer hij nuchter is; en bij 2 g/l wordt de kans hierop 80 maal zo groot.
Niemand kan dus redelijkerwijs deze beperkingen ter bevordering van de openbare veiligheid betwisten.
Wat we wel kunnen betwisten en zelfs betreuren, is de manier waarop de campagnes gevoerd worden, die opwekken zich aan deze normen te houden. En ook kunnen we ons eens bezinnen op de betekenis van bepaalde statistieken, in samenhang met de persoonlijkheid van de wetsovertreders. Zoals een taxichauffeur stelde: "De dag waarop het toegestane promillage ligt op 0,0001 g/l kunnen de autoriteiten zeggen dat 99% van de dodelijke ongelukken te wijten zijn aan bestuurders die teveel gedronken hebben. Als ze dat percentage willen verlagen, be-hoeven ze alleen maar het toegestane promillage te verhogen".

Het eerste wat opvalt is dat in de publiciteitscampagnes het alcoholri-

sico altijd wordt uitgebeeld met een fles of met glazen rode wijn. In ons collectief onderbewuste is er geen beter symbool voor drankmisbruik dan rode wijn.
We weten nu dat dat volledig misplaatst is! Dat is ook de overheid bekend, maar dit heeft haar niet belet een wet te baren, die zich richt op de verkeerde doelgroep en wijn straft. Ook de reclamebureau's weten dat, maar omdat zij weten dat het grote publiek dat niet weet, blijven ze zich bedienen van symbolen die 'lekker' liggen.

Hoe lang wordt het publiek de waarheid nog onthouden? En wanneer zullen de autoriteiten nu eens erkennen dat wijn helemaal niet verantwoordelijk is voor alcoholmisbruik en dat juist in de wijnstreken de mensen leren proeven en drinken. De promillages zijn daar het laagst.

Wat is de houding van de officiële vertegenwoordigers van de wijnsector? Op welke manier proberen ze deze mentaliteit en de onterechte wijze waarop ze voorgesteld worden, te veranderen? Ze zijn wel actief ... maar heel bescheiden! Laat de Wet EVIN hen wel toe om iets anders te doen? Of moeten ze hun toevlucht nemen tot het enige middel dat de verdrukte volkeren van onze verouderde democratiën nog hebben: manifesteren?
Moeten de luchthavens in de wijngebieden en de Hoge Snelheids Trein die daar doorheen loopt geblokkeerd worden? Moeten de tonnen van wanhoop leeggekieperd worden bij de prefecten? Niet om door de plaatselijke gekozenen gehoord te worden, maar gewoon om de aandacht van de media te trekken en een groot nationaal platform te creëeren om de juiste boodschap door te geven.

Laten we nog eens kijken naar het aantal dodelijke auto-ongelukken en het onbetwistbaar verband in bijna 40% van de gevallen met alcoholmisbruik. Nadere uitdieping van de statistieken levert nog meer gegevens.
Men zou kunnen denken, dat deze ongelukken veroorzaakt worden door alcoholverslaafden, maar hierover zijn de statistieken duidelijk!

Voor 85% van de dodelijke ongevallen, waarin alcohol een rol speelt, zijn **gelegenheidsdrinkers** verantwoordelijk. 75% van de ongelukken vindt 's nachts plaats, waarbij de drukte 80% minder is, en dan nog vooral in het weekend.
De daders zijn voor het merendeel mensen die alleen drinken tijdens hun wekelijkse uitstapje, met name jongeren, die het echt op 'een zuipen' zetten, omdat ze niet geleerd hebben om te drinken. Ofwel, het zijn mensen die zich gewoonlijk onthouden en zich in de euphorie van een feestelijke gelegenheid (familiaal, met vrienden) laten verrassen door de drank, omdat ze dat niet gewoon zijn en het nooit geleerd hebben. In dit soort ongelukken is slechts een minderheid (15%) alcoholisten betrokken; zij verdragen alcohol beter en ze zijn dus minder gevaarlijk.

Wat we hier vooral willen benadrukken is, dat dodelijke ongelukken bijna nooit te wijten zijn aan gematigde, regelmatige drinkers. Juist deze categorie zouden we moeten bevoordelen, om de volgende drie redenen:

- Ten eerste, omdat ze praktisch nooit betrokken zijn bij dodelijke ongelukken.
- Vervolgens, omdat deze categorie bijna uitsluitend wijn drinkt, 2 tot 4 glazen gemiddeld per dag, en dus alle profijt heeft van de goede medicinale werking van wijn, zoals we die in de voorgaande hoofdstukken hebben beschreven. Ze houden zichzelf gezond door een goede leefhygiëne, en het gat in sociale verzekering zou er gedeeltelijk mee gedicht worden wanneer meer mensen dit deden.
- En tenslotte: deze gematigde, regelmatige gebruikers vormen een solide basis voor de instandhouding van het bijzondere erfgoed van wijn en wijnbouw, met de daarbij behorende traditie van gastronomie en savoir-vivre, een van de grootste verfijningen van onze beschaving waarvoor de hele wereld ons benijdt.

Juist deze groep van geregelde, gematigde drinkers wordt elke dag kleiner door de stuntelige voorlichtingscampagnes van onze overheid, die

zich doorlopend vergist in haar doelgroep en beleid en meent dat ze het alcoholmisbruik bestrijdt.
De afgelopen veertig jaar is het wijnverbruik in Frankrijk met de helft verminderd, en het aantal alcoholverslaafden is nog steeds hetzelfde. Omdat de anti-alcoholcampagnes de wijn als symbool hebben gekozen voelen de gematigde drinkers zich schuldig omdat ze dagelijks wat drinken, hetgeen hun gezondheid nu juist bevordert. Zoals bij de moeder van Simon kan dit zelfs leiden tot paranoïde gedrag. Het daaruit voortvloeiende prohibitionistische gedrag gooit olie op het vuur en bevordert indirekt het alcoholisme, met name bij jongeren.

GOEDE DRINKOPVOEDING

Het is april 1996, in een klas van het VWO in de Rhône in een plaatsje vlakbij een van de meest bekende wijngaarden van deze streek. Zoals alle voorgaande jaren bezoekt de leraar Biologie met een van de eindexamenklassen een belangrijk coöperatief wijnbedrijf ter plaatse.
Gedurende enkele uren vertelt een aantal vaklui uitgebreid en in detail, want de leerlingen moeten er straks een rapport over schrijven, de verschillende stappen in het bewerkingsproces. En na een brilliante uiteenzetting door een groot oenoloog wordt de klas uitgenodigd voor een kleine verfrissing voordat ze weer naar school teruggaan.
Consternatie vervolgens in het bedrijfsrestaurant, want wat blijkt? Het enige wat de leerlingen wordt aangeboden in een van de mooiste wijnkelders van Frankrijk, zijn cola en andere frisdranken!
Om de groep enigszins tot bedaren te brengen zegt de leraar: “U zou eens moeten weten hoeveel moeite het me gekost heeft om toestemming te krijgen voor dit bezoek. Het werd me absoluut verboden om jullie zelfs maar een glas wijn aan te bieden”.

Dit is natuurlijk belachelijk! 35 jonge mensen van 17 tot 19 jaar volgen een wijnscholing maar ze mogen absoluut niets proeven! Dat is zoiets als een kookcursus met daarna eten in de friet-tent om de hoek.

We kunnen er van uitgaan dat deze jongelui thuis al een hele 'drink'-opvoeding hebben genoten; in de bekende franse wijnstreken is dit veelal het geval. Acht van hen waren zoon of dochter van een wijnbouwer. De intolerantie en schijnheiligheid van zo'n verbod maakt de betrokken overheid alleen maar verdacht.
Waar zijn de opvoeders die dit (ook door henzelf als stompzinnig betiteld) verbod uitvaardigden eigenlijk bang voor? Dat één van de ouders een klacht zou indienen die zou leiden tot een neo-prohibitionistische hysterie, waarbij het Ministerie van Opvoeding beschuldigd wordt van aanzetten tot alcoholmisbruik?
Zolang de bevolking niet objectief wordt voorgelicht zullen zulke bizarre situaties blijven voorkomen. Er zijn hier twee stromingen die botsen: enerzijds de neo-prohibitionisten met anderzijds zij die een gematigd wijngebruik voorstaan. De strijd is ongelijk omdat de laatsten de mond gesnoerd wordt door de wartaal van hypocrieten en met name de Wet EVIN.
Daarom moet de communicatie over dit onderwerp ingrijpend veranderen. Allen die betrokken zijn bij de wijnbouw - de wijnbouwers, de leraren, de artsen en de overheid - moeten de handen ineenslaan en zich inspannen om de communicatie te objectiveren en te verbeteren, en om zich weer in vrijheid te uiten.

Maar het is vooral binnen de familie dat verantwoord drinken geleerd moet worden.

THUIS LEREN DRINKEN

In zijn boek 'Manger autrement' ('Anders eten'), stelt professor Joyeux, zelf huisvader met een grote familie, dat iemand op zijn 10e jaar moet leren drinken. Dat is vroeg genoeg om zich de wijncultuur eigen te maken.

Van wijn genieten zou ook echt een familiegebeuren moeten zijn.

Vader en moeder moeten regelmatig en matig wijn drinken. Een kind moet zo leren begrijpen dat wijn een volwaardig voedingsmiddel is, geen drank om zijn dorst te lessen, maar om te proeven en van te genieten. Een kind moet al heel snel leren hoe wijn gemaakt wordt, welke soorten er zijn en vooral welke kwaliteiten! Zondags, en bij feesten, wanneer er uitgebreid gegeten wordt, moeten de betere wijnen gedronken worden en moet het kind aangemoedigd worden ze mee uit te kiezen. Zelfs in een appartement is er altijd wel een wat donker en koel plekje voor een klein keldertje. Het beste is natuurlijk een speciaal aangelegde, onverwarmde kelder of een kelderkoelkast.

Kinderen moeten in ieder geval respect krijgen voor wijn. Die moet speciaal gehaald worden uit een vertrek waar hij 'rust', ook al hoeft dat geen jaren te duren. We moeten vooral vermijden dat de fles wijn direkt uit de boodschappentas op tafel verschijnt; wijn wordt daardoor gebanaliseerd en van zijn mystiek ontdaan.
En natuurlijk moeten kinderen in staat worden gesteld de oogst mee te maken en vooral om de kelders te bezoeken!

Wanneer kinderen zien dat hun ouders wijn vóórstaan (met erkenning van de aanwezige alcohol) en sterke drank mijden, zodat deze in de familie nauwelijks gedronken wordt, raakt voor hen alcohol buiten de taboesfeer. Op deze manier leren ze voor hun hele verdere leven hun alcoholconsumptie op natuurlijke wijze te beheersen door een gematigd gebruik van edele alcoholhoudende dranken, in overeenstemming met hun opvoeding en cultuur.

Ouders moeten leren inzien dat het vermijden van alcohol en met name het niet leren proeven van wijn, alcoholhoudende dranken maakt tot de verboden vrucht; een verbod wat het kind onbewust een bijzonder plezier geeft om te overtreden.

De opvoeding in wijn in de familie moet voortgezet worden op school en ook in de publiciteit. De campagne 'Soif de Vivre' ('Levensdorst') in

1993 in Nancy en in 1994 in Le Havre was vanuit pedagogisch standpunt interessant. Ze was erop gericht, jongeren van 16 tot 20 jaar te leren om zelf het risico te beheersen, door informatie en het leren kennen van de gevaren in specifieke omstandigheden (nachtclub, motorrijden). Gelukkig was men zo verstandig om elke moraliserende boodschap van volwassenen te vermijden want dit zou zeker de hele actie hebben laten floppen. De informatie was niet passief; elke actieve participatie van de jeugd werd gestimuleerd. Er werd ook geen enkel drinkadvies gegeven, want we weten dat dit soort boodschappen niet werkt, zeker niet bij randjongeren.

Dit soort initiatieven verdient weliswaar onze steun, maar ze beperken alleen maar de schade. Het probleem wordt zo niet in de basis aangepakt, hiervoor moeten we helemaal vooraan beginnen, met de allerkleinsten.
Daarom heeft de Europese afgevaardigde Pierre Bébor in Straatsburg, voorgesteld om principieel de voorlichting over wijn in de schoolprogramma's op te nemen.
Dit zou echt een opvoedkundige revolutie zijn! Voor het zover is, moet serieus gewerkt worden aan het ombuigen van de heersende mentaliteit en het opheffen van bestaande taboes.
Parallel aan de opvoeding van de kinderen moeten we misschien ook een soortgelijke scholing geven aan hun ouders! Dan zullen ze uit eigen ervaring ontdekken wat we in dit boek betogen. Hopelijk veranderen ze dan van ongecontroleerde af-en-toe-alcoholgebruikers in matige en regelmatige wijndrinkers.

Over zulke activiteiten zouden de mensen in de wijnbouw - werkgevers én werknemers - eens moeten nadenken. Ze zouden deze feiten en hun acties overal moeten verkondigen, in plaats van zoals nu te blijven grommen en mopperen op interne bijeenkomsten. Anders blijft de overheid de huidige wetgeving koesteren en blijft wijn in de publiciteit het symbool van alcoholisme.

Bijlagen

Bijlage 1

Er is een rechtevenredig verband tussen het aantal sterfgevallen als gevolg van hartaanvallen en het eten van **verzadigde vetten** en **melkprodukten**.

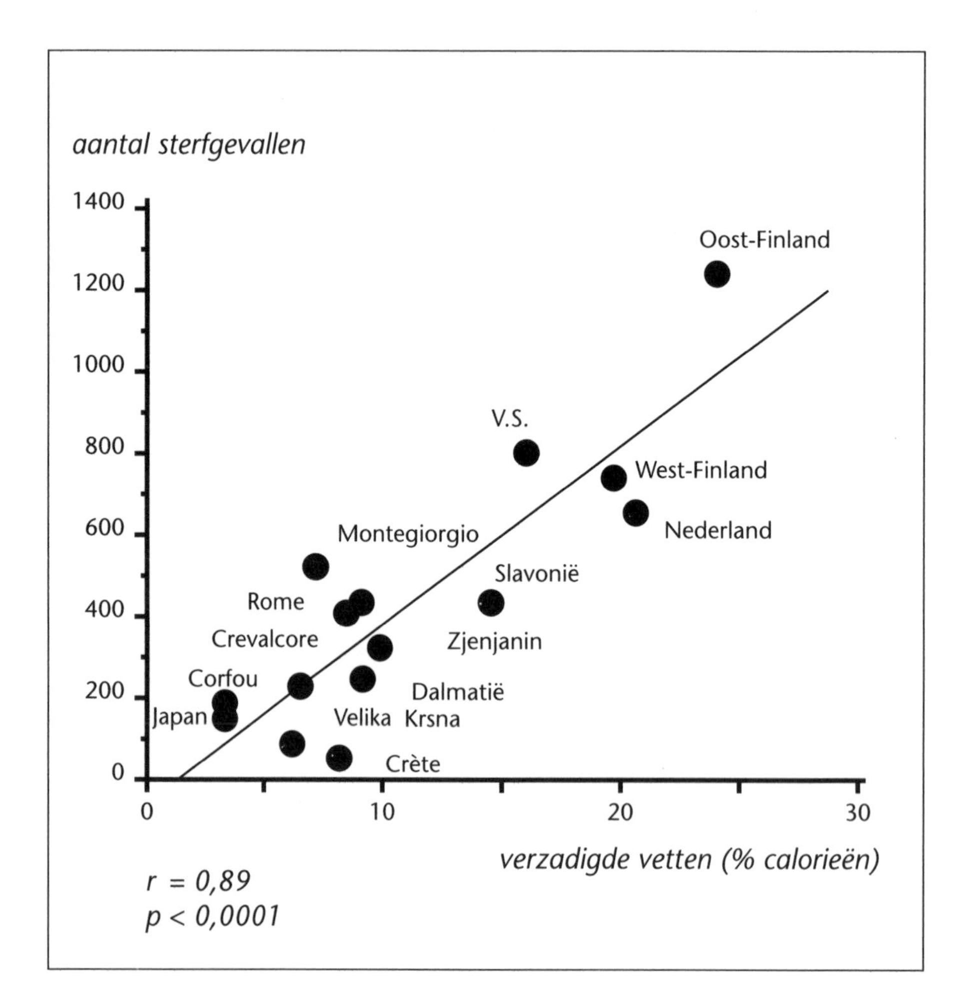

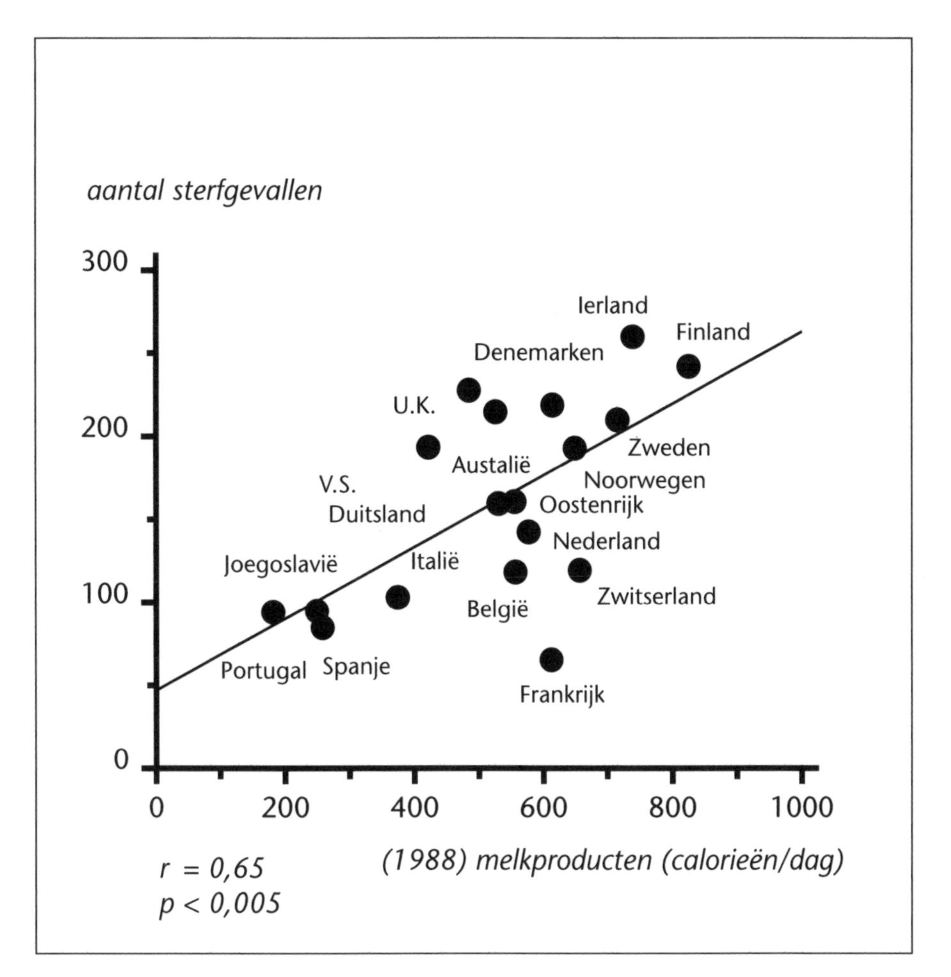
aantal sterfgevallen
300
200
100
0
Ierland
Finland
Denemarken
U.K.
Zweden
Austalië
Noorwegen
V.S.
Duitsland
Oostenrijk
Nederland
Joegoslavië
Italië
België
Zwitserland
Portugal
Spanje
Frankrijk
0
200
400
600
800
1000
r = 0,65
p < 0,005
(1988) melkproducten (calorieën/dag)

Bijlage 2

Verband tussen sterfgevallen als gevolg van hartaandoeningen en het eten van **kaas** (volgens WHO/OECD in 1988).

Er is duidelijk geen verband; het aantal sterfgevallen als gevolg van hartaandoeningen wordt niet meer of minder naargelang het kaasgebruik.

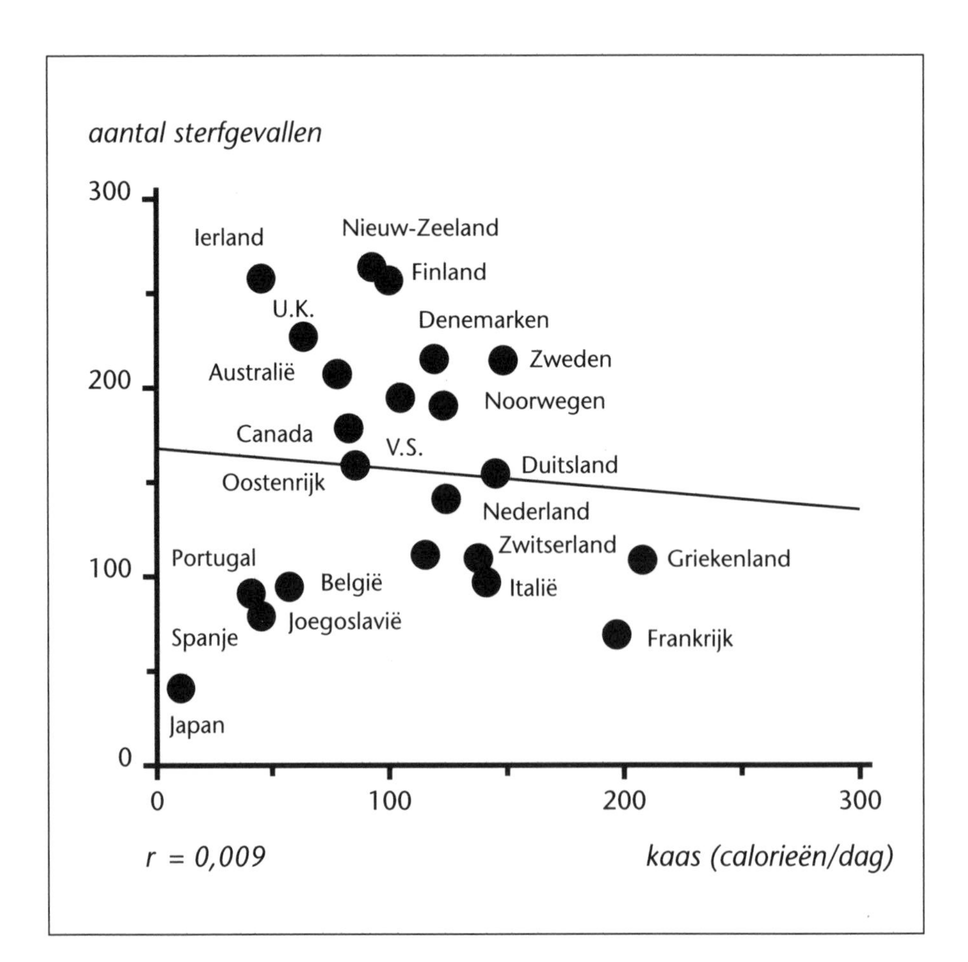

Bijlage 3

Verband tussen sterfgevallen bij mannen als gevolg van hartaandoeningen en de consumptie van **groenten, fruit en plantaardige vetten** (WHO 1989, OECD 1979 - 1988).

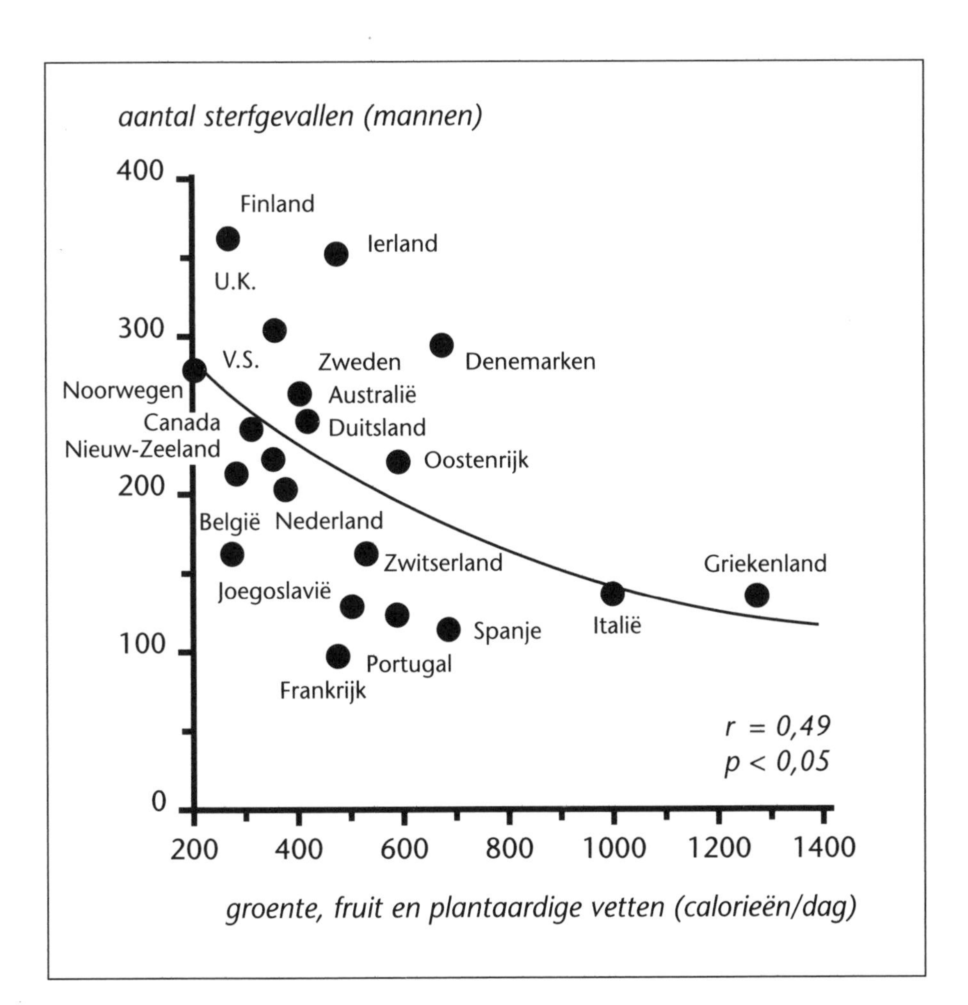

Bijlage 4.1

Verband tussen sterfgevallen bij mannen als gevolg van hartziekten en de **consumptie van alcohol** (WHO - 1989).

Er is een duidelijk afnemend verband; het aantal sterfgevallen daalt in landen waar gemiddeld méér gedronken wordt.

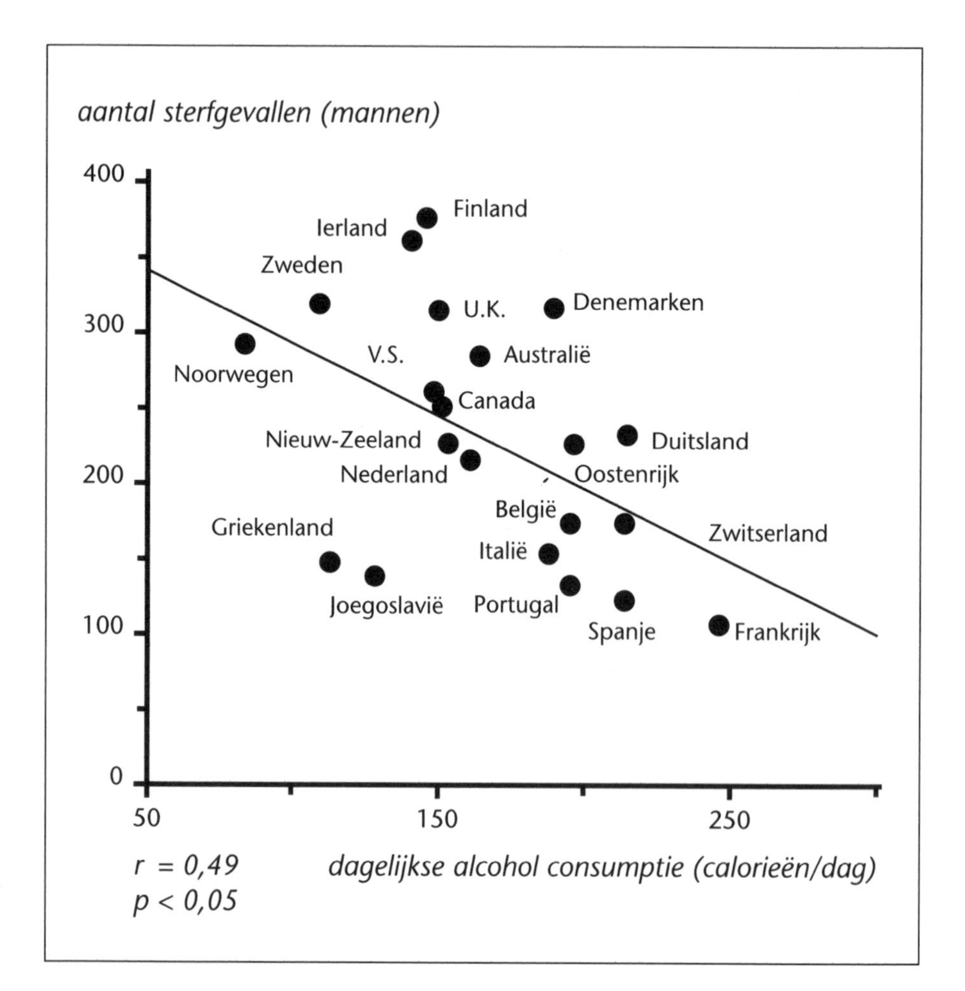

Bijlage 4.2

Verband tussen **sterfgevallen** als gevolg van hartziekten en de **consumptie van wijn** in die geïndustrialiseerde landen die daarvan meer dan 10 calorieën per dag nuttigen.

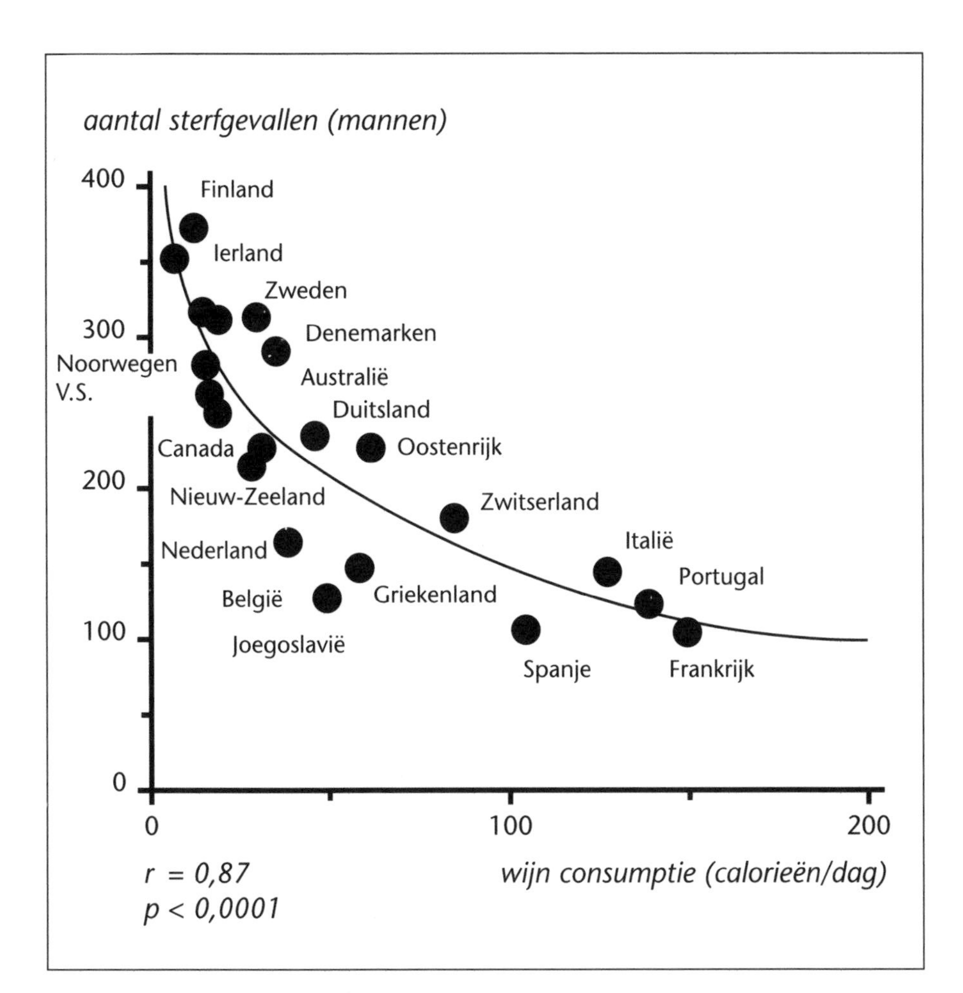

Bijlage 5.1

Verband tussen de consumptie van alcohol en verschillende doodsoorzaken van 276.000 Amerikanen. Naar Bofetta en Garfinkel (1990).

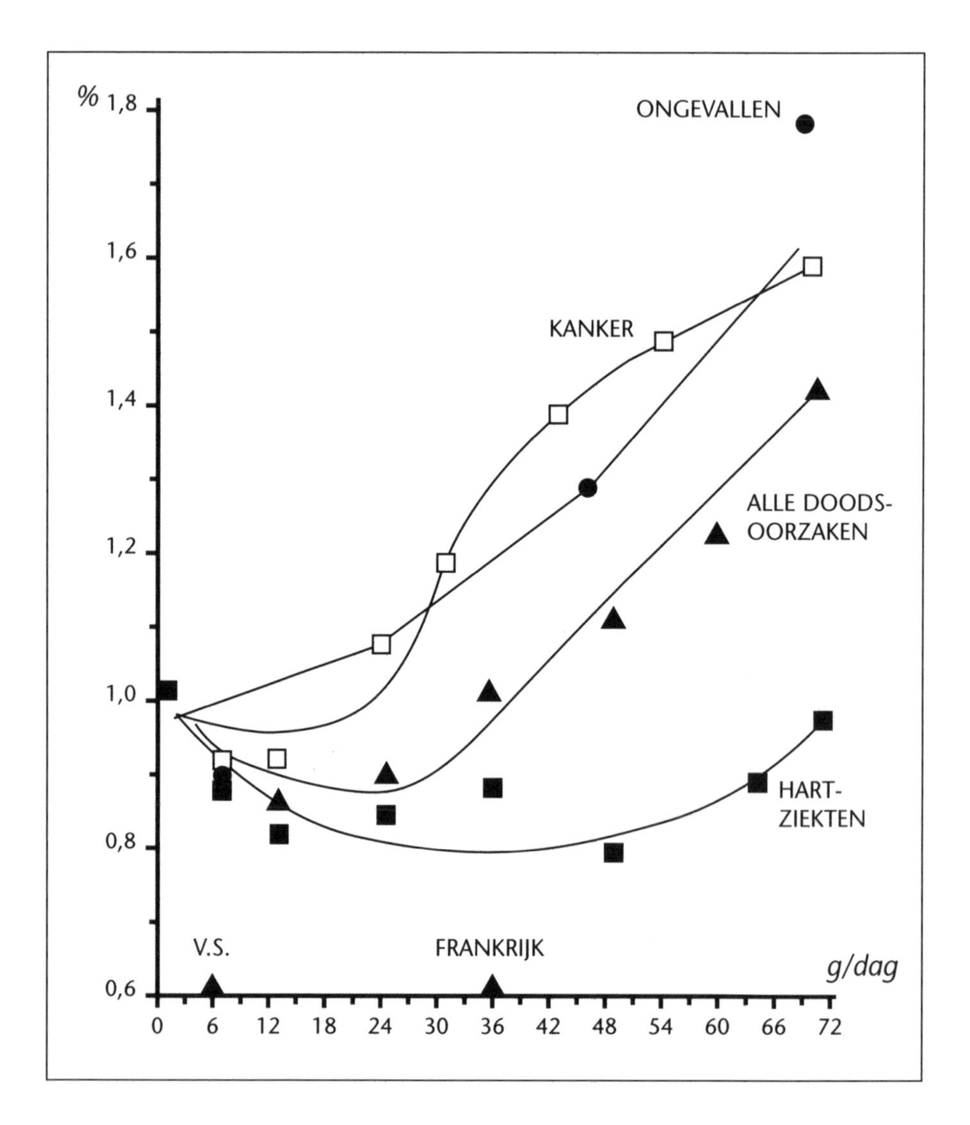

Bijlage 5.2

Relatief overlijdensrisico naar gelang het alcoholgebruik (Schlienger).

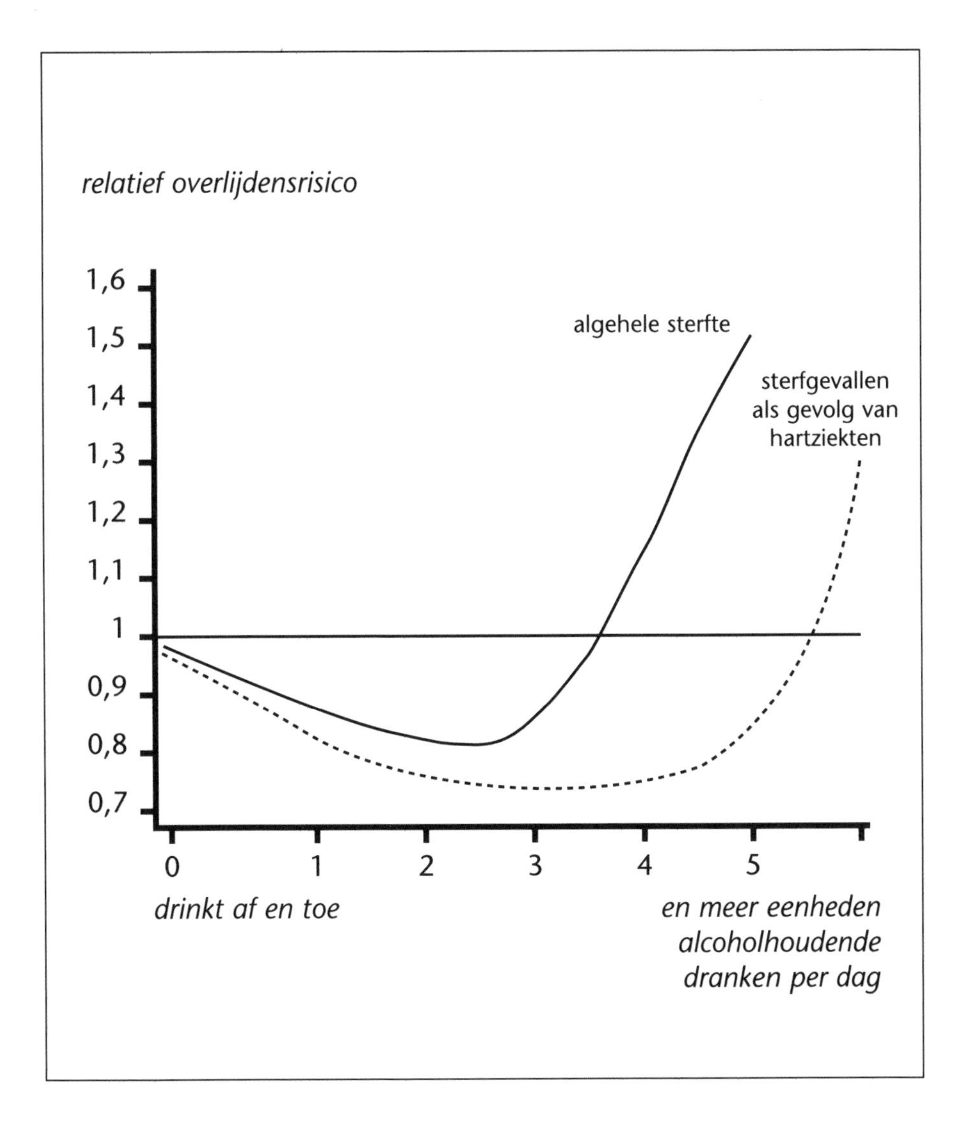

Bijlage 6

Het alcoholgebruik in 14 westerse landen vanaf 1961 in liters/per hoofd van de bevolking.

	sterke drank	bier	wijn	totaal pure alcohol
België				
1961	0,72	115,4	8,6	6,5
1970	1,32	132,4	14,2	8,9
1980	2,37	131,3	20,6	10,2
1990	1,20	120,7	24,9	9,9
1994	1,20	101,6	24,0	9,0
Frankrijk				
1961	2,17	37,2	126,1	17,7
1970	2,30	41,2	109,1	16,2
1980	2,50	44,3	91,0	14,9
1990	2,49	41,5	72,7	12,6
1994	2,49	40,0	63,0	11,4
Duitsland				
1961	2,12	101,6	12,2	7,4
1970	3,01	141,1	16,0	10,3
1980	3,05	145,7	25,5	11,4
1990	2,33	143,1	26,1	10,6
1994	2,40	139,6	22,6	10,3
Griekenland				
1961	--	5,3	41,9	5,3
1970	--	9,4	40.0	5,3
1980	3,5	26,3	44,9	10,2
1990	2,7	39,8	32,8	8,6
1994	2,7	42,0	33,8	8,9

	sterke drank	bier	wijn	totaal pure alcohol
Italië				
1961	1,2	6,1	108,2	12,3
1970	1.8	11,3	113,7	13,7
1980	1,9	16,7	92,9	13,0
1990	1,0	25,1	62,5	9,2
1994	0,9	26,2	58,5	8,7
Japan				
1961	--	12,9	--	0,5
1970	1,07	28,1	0,32	4,6
1980	1,83	37,5	0,55	5,4
1990	2,20	52,3	1,09	6,5
Luxemburg				
1961	1,12	118,6	32,7	8,6
1970	1,73	127,0	37,0	10,0
1980	1,69	114,4	48,2	10,9
1990	1,57	121,4	58,2	12,2
1994	1,60	122,9	60,5	12,5
Nederland				
1961	1,19	26,4	2,34	2,8
1970	2,09	57,4	5,15	5,7
1980	2,72	86,3	12,85	8,9
1990	1,98	87,7	14,54	8,1
1994	1,77	86,6	14,54	7,9
Portugal				
1961	--	4,9	99,3	12,2
1970	0,5	13,3	72,5	9,9
1980	0,9	37,9	68,7	11,0
1990	0,8	65,1	50,0	10,1
1994	0,8	77,1	50,7	10,7

	sterke drank	bier	wijn	totaal pure alcohol
Spanje				
1961	--	13,3	52,5	7,0
1970	2,3	38,5	61,5	11,6
1980	3,2	53,4	64,7	13,6
1990	2,7	71,9	37,4	10,8
1994	2,5	66,2	32,2	9,7
Zweden				
1961	2,46	36,8	3,58	4,1
1970	2,64	57,5	6,37	5,8
1980	2,74	47,2	9,54	5,7
1990	1,72	59,8	12,24	5,5
1994	1,50	64,2	12,6	5,3
Zwitserland				
1961	1,58	68,5	36,7	9,6
1970	1,94	70,5	41,9	10,7
1980	2,05	69,5	47,5	10,8
1990	1,78	69,8	49,4	10,8
1994	1,55	64,3	44,3	9,7
Engeland				
1961	0,80	89,2	1,82	4,5
1970	0,94	103,0	2,89	5,3
1980	1,78	118,3	7,19	7,3
1990	1,71	109,5	11,56	7,6
1994	1,56	102,3	12,65	7,5
U.S.A.				
1961	2,08	56,9	3,55	5,1
1970	2,87	70,0	4,97	6,7
1980	3,07	92,0	7,87	8,2
1990	2,29	90,8	7,69	7,4
1994	1,96	85,2	6,0	6,6

Bijlage 7.1

ALCHOLHOLGEBRUIK IN NEDERLAND EN VLAANDEREN

Nederland

In Nederland maken de statistieken geen onderscheid tussen wijndrinkers enerzijds en drinkers van jenever, bier etc. anderzijds. Wel wordt ervan uitgegaan dat alcoholgebruik in kleine doses niet ongezond is, ja zelfs gezond - derhalve wordt 'een zware drinker' gedefinieerd als 'minstens 1 dag per week 6 of meer glazen te drinken' - maar helaas zegt deze defenitie niets over het onderscheid tussen jenever e.d. enerzijds en wijn anderzijds. De categorie zware drinkers bleef in de jaren '90 tot '94 constant, op 13% van de bevolking onder de 16 jaar. Deze worden vooral aangetroffen in de leeftijdsgroep van 16 - 44 jaar (21% in 1994).

Vlaanderen

In Vlaanderen is onderzoek verricht naar alcoholgebruik: zie 'Alcohol, illegale drugs en medicatie, recente ontwikkelingen in Vlaanderen' Hieruit blijkt, dat meer dan 80% van de bevolking wel eens alcohol drinkt; wijn scoort hierbij het hoogst, op korte afstand gevolgd door bier.

Het totaal verbruik alcohol per hoofd teruggelopen is van ruim 11 liter in 1980 naar ca. 9 liter in 1994. Het aandeel sterke drank en bier daarin is teruggelopen, terwijl het aandeel wijn opgelopen is van ca. 20 liter naar 24 liter per hoofd per jaar in 1994.

De jeugd drinkt vooral bier: 65% van de jongens tussen 17 en 18 jaar (30% van de meisjes). De andere dranken, waaronder wijn, worden maar door 2% gedronken. Het % van de jongeren dat 1 maal per maand drinkt, is tussen 1990 en 1994 met 4% à 8% gedaald, evenals wekelijks gebruik, maar het % dat elke dag drinkt, is gelijk gebleven: 11% van de 17- tot 18-jarige jongens, en 1% van de meisjes.

Ook een onderzoek bij schoolgaande jongeren in Brugge in 1995 wijst uit, dat vooral bier wordt gedronken en dat wijn minder wordt gedronken dan sterke drank en longdrinks.

Verkeersongevallen

In Nederland en Vlaanderen zijn er gelijksoortige cijfers als in Frankrijk: 's Nachts is het probleem - althans volgens de verzekeringsmaatschappij - groter dan overdag. Gedurende de week zijn bij ca. 5% van alle ongevallen waarbij alcohol in het spel is, doden of ernstige gewonden te betreuren; in de weekenddagen is dat ca. 10% en 's nachts is dat ca. 20%.

Nederland *(uit 'Verkeersongevallen 1995' van het CBS)*

	dood	gewond
Totaal aantal slachtoffers	1334	50970
Met alcoholgebruik	87 (6,5%)	3208 (6,3%)
Waarvan tussen 22.00 en 04.00 uur	47 (54%)	1002 (31%)

België *(uit 'Verkeersongevallen op de openbare weg 1993 van het Nationaal Instituut voor Statistiek)*

	dood	gewond
Totaal aantal slachtoffers	1660	76015
Waarvan Vlaanderen	987	47988
Waals gewest	633 23878	
Brussels gewest	40	4149
Met alcoholgebruik	88 (5,3%)	4604 (6%)
of zelfs (in 1994)	*ca.* 133 (8,2%)	

Bijlage 8

Medische wijnkaart volgens dr. Maury (1988)

Elzasser	hoge bloeddruk
Zoete Anjou	constipatie
Bandol	arthrose
Barsac	gastialgie
Beaujolais	infecties door micro-organismen
	mineralentekort
Blanc de Blanc	reumatiek (?)
Rode Bordeaux	suikerziekte
	vetzucht
	arthrose
Cassis	arthrose
Champagne brut	eetlustopwekkend
	herstel van ziekte
	mineralendeficiëntie
	ontgifting
	spijsvertering
	hoge bloeddruk
	hartinfarct
Clairette de Die	eetlust
Corbières	arthrose
1e Côtes de Bordeaux	mineralendeficiëntie
	voorkomen van griep
Côtes de Nuits	herstellen van ziekte
Côtes du Ventoux	allergieëen
	arthrose
Crépy	jicht
	reumatische pijnen
	blaasstenen, nierstenen
Gros Plant	cellulitis
Listrac	bacteriële infecties
Lirac	arthrose
Médoc	aderverkalking
	ontsteking van dunne of dikkedarm
	infectieziekten door micro-organismen
	luie maag
	reumatische koorts
Minervois	arthrose
	allergiën
Muscadet	cellulite
	Diurese
Pouilly	verzuring
	diurese
	stijging urinezuur
Ripaille	nier- en blaasstenen
Riesling	suikerziekte
	vetzucht
St. Emilion	aderverkalking
St. Estephe	infecties door micro-organismen
Sancerre	verzuring
	diurese
	verhoogd urinezuurgehalte
Seyssel	jicht
Sauternes	maagpijnen
Sylvanes	vetzucht
	reumatiek
Tavel	arthrose
Vouvray	constipatie

Bijlage 9

GENEZEN MET WIJN VAN DR. EYLAUD (1934)

We geven deze 'Codex oenotherapique' hier (onvertaald) als curieus voorbeeld van een doorgeschoten opvatting van wat men met wijn allemaal dacht te genezen.

CODEX OENOTHERAPIQUE DU DOCTEUR EYLAUD (1934)

Indication thérapeutique des vins de Bordeaux

APPAREIL CIRCULATOIRE

Anémie et chlorose:
Vins rouges: Médoc, Graves Saint-Emilion, Pomerol. Deux verres à Bordeaux à chaque repas.

Affection du coeur:
Malades compensés ou à trés petites insuffisances: 1/2 litre par jour. Vins rouges jeunes de Graves ou ordinaires.

Artério-sclérose: hypertension:
Vins blancs secs de Graves et d'Entre-Deux-Mers dédoublés d'eau type Vittel, Evian, Badoit, 1/2 litre par 24 heures.

Hémorragies:
Vins blancs: Sauternes, Sainte Croix du Mont, au besoin avec eau gazeuse type Périer.

Syncopes:
Vins blancs purs: Sauternes, Sainte Croix du Mont pur ou en potion:
- 125 g Vin blanc
- 25 g Sirop de sucre

- 8 g Teinture de cannelle
- 1 g Caféine
- Benzoate de Na, pour dissoudre.

Une cuillerrée à soupe toutes les cinq heures. Si le malade est sans conscience on peut donner du vin par voie endo-veineuse ou en lavement: 1/4 de litre quatre fois par 24 heures avec 20 qouttes de laudanum chaque fois.

APPAREIL DIGESTIF

Constipation
Vins blancs moelleux riches en glycérine: Sainte Croix du Mont. Trois verres à vin blanc par jour.

Diarrhées:
Vin rouge jeune riche en tanin: Saint-Emilion. Par voie buccale ou en lavement après ébullition par évaporation de l'alcool.

Entérite muco-membraneuses:
Lavements de tous vins rouges de Bordeaux bouillis assez longuement, par 1/4 de litre.

Dyspesies
a. Atonique hypochloridrique

1. Dose apéritive: 50 g de Graves blanc.
2. Dose nutritive: 80 centilitres à chaque repas pur ou avec eau neutre.
3. Dose digestive: 50 g de vin Sainte Croix du Mont ou liquoreux à la fin des deux repas.

b. Hyperchlorhydrique, hyperesthétique.
Très peu de vin, essayer avec prudence. Graves blancs plus eau alcaline: Vichy, Pougues, etc.

Uleus
Pas de vin ou par voie extra-stomacale.

Vomissements:
Vins blancs mousseux de Gironde par méthode champenoise - Glacés.
Maladies du foie - Lithiase biliaire:
Graves et Entre-Deux-Mers coupés d'eau alcaline: 10 g d'alcool vin par litre et par kilo; c'est-à-dire pour un homme de 70 kg = 78 centilitres de vin à 10°.

Cirrhoses:
S'abstenir totalement dans l'ensemble ou donner très prudemment vins jeunes rouges ou blancs étendus d'eau de préférence chez les habitués. Ne pas oublier que les buveurs d'eau sont cirrhotiques pour des raisons extra-alcooliques (syphilis, tuberculose, etc.).

Insuffisances hépatiques:
Tous vins de Bordeaux jeunes, étendus d'eau neutre en mangeant, ou quinze centilitres avant les deux repas.

Appareil respiratoire:
Dans l'ensemble si l'on veut obtenir un effet stimulant: Saint-Emilion chaud et Sauternes. Si l'on veut un effet tonique: Médoc, Graves.

Grippe:
Saint-Emilion chaud et sucré, Sauternes avec eau de Seltz.

Pneumonie et broncho-pneumonie:
Comme la grippe. Chez les enfants, bain de vins rouges ordinaires chauds.

Pleurésie:
Période fébrile du début comme la grippe, convalescence: Graves rouges et Médoc.

Tuberculose:

Formes torpides avec bon estomac: Saint-Emillion. Formes aiguës avec estomac fragil: Médoc, Graves rouges, Sauternes en petite quantité, à la fin des repas.

Abcès du poumon:

Injections intra-veineuses

APPAREIL URÉO-SÉCRÉTOIRE

Néphrites aiguës:

S'abstenir dans l'ensemble. Avec albuminurie légère, vins rouges de Médoc et de Graves jeunes coupés d'eau alcaline avec prudence.

Néphrites chroniques:

En petite quantité vins rouges de Pomerol, Graves, Médoc plus eaux alcalines. Vins blancs de Graves, Entre-Deux-Mers, plus eaux alcalines.

Lithiase rénale:

Vins blancs ordinaires, jeunes, peu alcoolisés: Entre-Deux-Mers plus eaux diurétiques: Vittel, Evian.

Urétites:

Vins blancs ou rouges peu alcoolisés, jeunes, coupés d'eau alcaline. Graves, Entre-Deux-Mers. En injections utérales (Ricord).

- 50 g Vin rouge
- 100 cm^3 Eau distillée de roses
- 150 cm^3 ou Vin Rouge
- 1 g Tannin pur

Doubler la quantité de tanin pour les injections vaginales.

Colibacilloses:

Vins Rouges jeunes étendus d'eau neutre: Médoc, Graves. Vins blancs: Graves, Entre-Deux-Mers 50 cm^3, trois fois par jour, pur au besoin.

Fièvres éruptives:
Au moment des complications surtout Sauternes avec eau de Seltz ou Saint-Emilion chaud avec citron et cannelle, 125 cm^3, quatre fois par 24 heures. 1/2 dose pour les enfants à partir de sept ans; au-dessous à partir de trois ans.

Fièvre paludéennes:
Vin de quinquina, 50 g de quinquina par litre de vin de Saint-Emilion ou de Médoc ou Pomerol, 100 à 200 cm^3 par jour loin des repas en trois fois.

MALADIES DE LA NUTRITION

Arhrite:
Vins blancs secs des Graves et d'Entre-Deux-Mers plus eau alcaline, en mangeant.

Obésité:
Médoc, Graves Entre-Deux-mers, secs, rouges et blancs, en mangeant. Doses alimentaires normales.

Rhumatismes:
À forme infectieuse: tous vins rouges en petite quantité; à forme arthritique: vins blancs secs peu alcoolisés plus eau alcaline: Graves, Entre-Deux-Mers. S'abstenir dans les phases fébriles des rhumatismes.

Diabète:
35 centilitres par jour, vin jeune de Médoc, Grave plus eau diurétique.

Goutte (en dehors des accès):
Graves blancs secs et rouges coupés d'eau. Médoc léger plus eau alcaline.

MALADIES D'ORGINE HYDRIQUE

Fièvre typhoïde et para:
Mélange de vin blanc à du bouillon. Tous vins rouges de Bordeaux. Lavements de 1/2 litre (docteur Houssay) de vin rouge à 7 à 8 degrés à 40° de température matin et soir.

Dysentrie:
Tous vins rouges de Bordeaux en ingestion ou par lavements.

Choléra:
Vins vieux rouges: Saint-Emilion ou vins blancs de Sauternes. Surtout dans les cas de collapsus et d'adynamisme sérieux. Bains au besoin ou lavements.

Intoxications:
Vins blancx de Sauternes contre l'état syncopal. Vins rouges de Bordeaux comme contre-poson. S'abstenir de tous vins dans les états d'intoxication alcoolique chronique. En tâter prudemment dans les cas de delirium tremens.

DÉPÉRISSEMENT. INAPPÉTENCE. CACHEXIE.

Vins de Sauternes et Sainte Croix du Mont auxquels on peut ajouter acide phosphorique, arsenic, coca, quinquina, noix vomique, kola maté, strychnine, caféine, gentiane, condurango, etc. 1/4 de litre pour les adultes en deux fois par 24 heures.

Vins de Saint-Emilion et Médoc vieux avec mêmes médicaments que cidessus. Doses 1/3 de litre en trois fois avant le repas.

AVITAMINOSES

Scorbut:
Tous les vins de Bordeaux aux doses alimentairs normales, à petites doses progressives au début.

Béribéri:
Comme pour le scorbut.

Pellagre:
Comme pour le scorbut.

Grossesse et gestation:
Tous les vins rouges de Bordeaux, vieux de préférence et étendus d'eau ordinaire. Rechercher les vins riches en sels minéraux et sucres.

MALADIES NERVEUSES

Hyperexitation:
S'abstenir de vins.

Dépression mélancolique:
Vins blancs de Sauternes, de Sainte Croix du Mont au début et à la fin des repas par verres à Bordeaux.

Maladies de la peau
Si d'origine arthritique, comme l'arthrite. Pour brûlures, plaies infectées, folliculites ulcereuses, furoncles, ecthyma ulcéreux, ulcères varqueux, en pansements.

- 100 g espèces aromatiques
- 100 g teinture de Vulnéraire
- 1000 g vin rouge